PSZONIAK & Co.

Jurkowi i Antkowi
moim braciom

boul'
à la
la
C.F.
menu
JAN MŁODOŻENIEC

Jan Młodożeniec
Molier

Autor i Wydawca składają podziękowanie Artystom,
którzy wspaniałomyślnie zechcieli ozdobić
swymi pracami tę książkę.

1147 Montricher, Suisse
ISBN 83-901283-0-6

PSZONIAK & Co.

czyli

Towarzystwo Dobrego Stołu

NOIR SUR BLANC

Drodzy Państwo,

Czy zauważyliście, że w wielu domach najprzyjemniejszym miejscem jest kuchnia? Można to zaobserwować na tłumnych przyjęciach. Nawet gdy pokoje są przestronne, a kuchnia malutka, po pewnym czasie i tak wszyscy się w niej znajdą. Nie szkodzi, że tłoczno, niewygodnie, że nie ma gdzie usiąść ani gdzie postawić kieliszka. Jest w kuchni jakiś magnes. Jakaś tajemna siła do kuchni nas wciąga i powoduje, że jesteśmy zachwyceni, bo jest ciasno, głośno i wesoło.

Ale i za dnia, gdy w kuchni jest stół i choćby dwa krzesła, często ktoś, kto wpada na herbatę, mówi: „Zostańmy w kuchni, tu jest miło".

Dla mnie dom, w którym się nie używa kuchni, jest domem martwym, przypomina hotel.

Od wielu lat gotuję i zawsze gotowałem po swojemu. Pomysły potraw rodzą się najpierw w mojej wyobraźni. Najpierw wyobrażam sobie smak potrawy, a potem wymyślam, jak go osiągnąć. Czasami odbywa się to podczas snu. Wiem, że to śmieszne, ale naprawdę śniła mi się kiedyś golonka duszona w piwie, z groszkiem i kapustą. Rano powiedziałem Basi: „To było pyszne, zrobię ci to dziś na kolację".

Zaczęliśmy notować niektóre przepisy, by móc powtórzyć coś, co nam szczególnie smakowało, lub przyrządzić to na kolację dla naszych przyjaciół.

I tak narodził się pomysł tej książki, która nie ma pretensji do bycia książką kucharską; nie jestem przecież kucharzem. Nie potrafiłbym na przykład zrobić deseru i w tę dziedzinę się nie zapuszczam.

Gotowanie jest dla mnie przyjemnością i jeszcze jednym sposobem wyrażania siebie.

Pytano mnie często, czy to jest „kuchnia polska". Nie wiem. To jest moja kuchnia, w której z pewnością łatwo odnaleźć można moje „smakowe korzenie", ale jest to również zaproszenie do pewnego otwarcia na nowe, mniej w Polsce znane smaki.

Niedługo po rozpoczęciu studiów aktorskich w krakowskiej PWST zostałem członkiem Koła Młodych Związku Literatów Polskich w Krakowie i od tamtych czasów ciągle coś piszę, zapisuję, notuję.

W książce tej oprócz przepisów znajdują się zapiski z tego, co nazywam „moim brulionem". Jest również trochę wspomnień opowiedzianych w formie anegdotycznej; mogłaby się ona także nazywać „Pszoniak od kuchni".

Chciałem, by byli w niej obecni niektórzy moi przyjaciele artyści, pisarze; zaprosiłem ich do tej przygody, zostawiając im pełną swobodę wypowiedzi.

Poprosiłem również przyjaciół, którzy dobrze gotują i mają jakiś własny oryginalny przepis, aby zechcieli przyłączyć się do towarzystwa.

Tak powstała ta bardzo osobista książka.

Pragnąłbym, by została ona przyjęta przez Czytelników po prostu zwyczajnie, jak zaproszenie do spędzenia kilku chwil przy stole. Przy stole nie tylko się biesiaduje; stół, jak scena, jest też świadkiem – miejscem wielu zdarzeń.

Och, gdyby nasze stoły mogły mówić!

Przy stole się zaprzyjaźniamy, kłócimy, szukamy sensu, zakochujemy się. Wyobraźcie sobie Państwo, ile śmiechu unosi się nad stołami całego świata!

Wszystkim, którzy zechcieli mi dotrzymać kompanii w tej książce – moim Przyjaciołom – dziękuję.

Ale jest ktoś, bez kogo ta książka na pewno by nie powstała – to Basia, moja żona.

Dziękuję jej za to z całego serca.

Roman Cieślewicz
Dziadek Wojtka. Tylko we Lwowie.

ROMAN CIESLEWICZ

☆

Mój dziadek Babisz był z pochodzenia Węgrem. Z wykształcenia chemik, był specjalistą od likierów w fabryce Mikolascha w Poznaniu i w fabryce Baczewskiego we Lwowie, której był również dyrektorem.

Moja mama, jedynaczka wychowywana w dobrobycie, uwielbiała swojego ojca, ale mówiła o nim, że był surowy, i opowiadała, że był wielkim oryginałem. Miał w Operze Lwowskiej swoje stałe miejsce, najbliższe wyjścia i nie pod balkonem. Po ulicy chodził zawsze blisko krawężnika, z dala od kamienicy, na wypadek gdyby się urwał gzyms. Był pedantyczny i pełen dziwactw. Bywało, że źle sypiał; wtedy nocami grywał na skrzypcach albo zapraszał znajomych na karty, i około godziny drugiej nad ranem wjeżdżały gorące dania, tzw. *souppée*, przygotowane przez dyżurującą służbę.

Mama również grała na skrzypcach, ładnie śpiewała i uczyła się malarstwa. Była niespełnioną artystką, która wcześnie wyszła za mąż za starszego od niej o osiemnaście lat mężczyznę, żeby zrobić na złość swojemu narzeczonemu, młodemu lekarzowi, którego widziała, jak całował w rękę jakąś młodą robotnicę z fabryki.

Szybko urodziła dwóch synów, Jurka i zaraz po roku Antka. Po jedenastu latach urodziłem się ja.

Ze Lwowa mam dwa wspomnienia, a właściwie obrazy: cofnięta od ulicy kamienica, w której mieszkaliśmy, i ciemna piwnica z jedną mrugającą świeczką, gdzie stłoczeni ludzie przeczekiwali bombardowanie.

Następne wspomnienie to jazda ciężarówką; ja siedzę z matką w szoferce obok kierowcy, a moi bracia z tyłu na jakichś rzeczach. Pamiętam także wagon bydlęcy z żelaznym piecykiem, tzw. kozą. Jechaliśmy jednym z ostatnich transportów przesiedleńczych ze Lwowa. Maszynista co pewien czas zatrzymywał się i szantażował pasażerów, że nie pojedzie dalej, jeśli nie dostanie iluś tam litrów spirytusu czy wódki. Ludzie z transportu zbierali się, naradzali między sobą i szli gdzieś szukać bimbru.

W czasie tych postojów mama ciągle wołała moich braci: „Juruś, Antoś, wracajcie, nie oddalajcie się, ruszamy!" A bywało, że staliśmy w jednym miejscu cały tydzień.

Tak jechaliśmy przez miesiąc. Po przyjeździe do Gliwic zatrzymaliśmy się w hotelu, chyba przy ulicy Moniuszki. Pamiętam tylko, że były tam jakieś obicia koloru bordo.

Takie są moje pierwsze wspomnienia.

Zamieszkaliśmy przy ulicy Arkońskiej w domu dla pracowników Politechniki Śląskiej, której trzon naukowy stanowili pracownicy byłej Politechniki Lwowskiej. Ojciec pracował tam wtedy jako kierownik biblioteki.

Niektóre meble w mieszkaniu należały do Politechniki i pamiętam, jak je nam potem zabrano, gdy ojciec zmienił pracę.

Naszymi najbliższymi sąsiadami byli pp. Zawadzcy. Córka profesora Zawadzkiego Dzidzia wyszła potem za mąż za mojego przyjaciela Wiesia Dejke.

Nad nami mieszkał prof. Zagajewski z rodziną. Gdy mały Adaś Zagajewski tupał, kołysała się u nas lampa. Moją matkę to denerwowało i uważała, że Adaś jest niegrzecznym chłopcem. Śledziłem potem karierę Adama, pisarza i poety. Odnaleźliśmy się w Paryżu. Adam i jego żona Maja Wodecka należą do naszych najbliższych przyjaciół.

Jeszcze jednego kolegę z podwórka odnalazłem potem w Warszawie, to eseista i dziennikarz Janusz Jaremowicz.

Do naszego mieszkania należał duży, otoczony murkiem ogród, do którego wchodziło się od podwórza.

Tuż przy wejściu, z lewej strony, rósł piękny, rozłożysty krzew białego bzu. Po prawej mieścił się warzywnik: grządki z czosnkiem, cebulą, koperkiem, między tym płożyły się ogórki, a nieco dalej w zwartej grupie, podpierane drewnianymi tyczkami, rosły krzewy pomidorów żółtych i czerwonych – „karbowanych", które wyglądały, jakby je ktoś ściągnął sznurkiem na wierzchu.

Mama robiła mi na śniadanie sałatkę z tych pomidorów; pokrojone, zalewała kwaśną śmietaną, którą przynosiła wiejska baba. Widywałem tę kobietę, jak prowadziła naszą ulicą krowę i kozę, które wypasała na tzw. Kamieniach.

Pośrodku ogrodu rosło duże wiśniowe drzewo. Mama robiła z wiśni konfitury i wiśniówkę, która grzała się w słońcu w wielkiej butli stojącej na oknie w kuchni.

Dalej stała nieduża drewniana altanka, wokół której rosły kępy różnokolorowych kwiatów, a za nią dwa piękne brzoskwiniowe drzewa. Brzoskwiń nie można było zostawiać na drzewach, bo znikały w nocy – zakradali się na nie złodzieje. Dojrzewały więc w szufladach; wystarczyło potem uchylić taką szufladę, by zapach brzoskwiń wypełnił cały pokój.

Po wielu latach udało mi się odnaleźć ten sam aromat dopiero na południu Francji.

W głębi ogrodu rosły krzewy agrestu, porzeczek i malin, a na samym końcu, po prawej stronie, mieściła się królikarnia.

Ojciec lubił prace w ogrodzie i spędzał tam wiele czasu; zajmował się królikami, plewił grządki, coś sadził, grabił liście, a na Wielkanoc w specjalnej beczce wędził szynkę.

W niedziele przychodzili do nas czasem goście; najczęściej panna Ziuta i pani Kolankowska, nasze znajome ze Lwowa. Szło się wtedy do ogrodu na podwieczorek.

Gdy byłem dzieckiem, ten ogród był dla mnie prawdziwym rajem.

We wspomnieniach jesień kojarzy mi się z przygotowywaniem zapasów. Przede wszystkim w ogromnej dębowej beczce kisiło się kapustę; beczka ta stała potem w spiżarni.

Przychodził do nas pan Saniarz i sprawiał króliki; zabijał je i ściągał z nich skórę. Przychodził też pan Kozak – chemik, który robił nam zapas mydła.

Mama robiła konfitury, zaprawy do mięs, kisiła ogórki, klarowała masło i ubijała w kamiennym garnku biały ser z solą.

Ojciec robił piwo i wino. To było prawdziwe gospodarstwo. Właściwie zawsze marzyłem, żeby coś z tego odtworzyć i samemu przygotowywać zapasy. Lubiłem bardzo książkę Heleny Bobińskiej „Opowieść o szczęśliwym chłopcu" – historię synka leśniczego – i do tej pory coś we mnie z tego marzenia o życiu w leśniczówce zostało.

Pamiętam, jak ludzie na Śląsku na specjalnych wózkach wozili do wypiekania w piekarni placki z kruszonką ułożone na blachach. U nas też się piekło ciasto. Co sobotę mama robiła sernik lub makownik i zawsze narzekała, że jej się nie udał, bo pękł. Piekła również rogaliki drożdżowe z konfiturą, słone paluszki z kminkiem do herbaty oraz tzw. cebulaki. W soboty dom wypełniał się zapachem ciasta i pasty do podłóg, które pomalowane czerwoną farbą, były co tydzień pastowane i froterowane do połysku.

Sąsiedztwo ogrodu powodowało, że w domu przebywały różne zwierzęta. Oprócz foksterierka Piątka, wiernego towarzysza moich zabaw, miałem jeża, który w nocy tupał i przewracał butelki piwa zrobionego przez ojca. Zimą opiekowaliśmy się ptakami; czasem trzeba było odchuchać i odkarmić zmarzniętą kawkę lub wróbelka.

Zdarzało się, że królica nie chciała zajmować się małymi; braliśmy wtedy małe króliczki do domu i ogrzewaliśmy w ciepłym piecu.

Zimy były wtedy ostre. Mieszkanie było ogrzewane piecami kaflowymi, w których paliło się węglem. Ogień huczał i przez powyginane ze starości żelazne drzwiczki widać było, jak tańczy na kafelkach. Niestety węgiel musieliśmy oszczędzać i mieszkanie było nie dogrzane. Pamiętam, że z okien zawsze wiało, a w łazience trząsłem się z zimna.

Czasem śnieg padał tak obficie, że na ulicach powstawały olbrzymie zaspy, w których ludzie przekopywali przejścia, tworząc coś w rodzaju labiryntu. Było biało i cicho, cały ruch zamierał. A gdy zapadał zmierzch, zapalano gazowe latarnie.

Mrozy bywały tak srogie, że odwoływano lekcje w nie dogrzanych szkołach, aż do momentu, kiedy Natura litowała się i wraz z ociepleniem życie mogło powrócić do normy.

Do najprzyjemniejszych chwil mojego dzieciństwa należały moje wyprawy z ojcem na stację kolejową. Dworzec był bardzo ładny, z dużym zegarem na środku fasady tuż nad głównym wejściem.

Tato kupował peronówki, które kontroler dziurkował, po czym wchodziliśmy na peron.

Na peronie było zawsze dużo ludzi. Z trzeszczących głośników podawano informacje dla podróżnych i ludzie zastygali w bezruchu, starając się wyłowić z chrypiących dźwięków jakiś sens.

W pociągach wówczas oprócz pierwszej i drugiej była także klasa trzecia, a wagony miały mnóstwo wąskich drzwiczek, przez które wchodziło się prosto do przedziału. Odjazdowi pociągu towarzyszył charakterystyczny dźwięk zamykanych drzwi. Najbardziej fascynowały mnie parowozy, lubiłem wąchać ich dym.

Do dziś lubię zapach rozgrzanych w słońcu podkładów kolejowych, wzbudzają we mnie miłe wspomnienia.

Po wojnie, żeby sobie dorobić, ojciec prowadził buchalterię w małych prywatnych zakładach. Chodziłem z nim do odlewni, do kuśnierza i do przedsiębiorstw przewozowych. Nie mogłem się doczekać dnia, kiedy szliśmy do pana Zadorożnego, jednego z właścicieli ciężarówek, który mieszkał daleko, aż przy ulicy Hutnicznej, na poddaszu wysokiej, wąskiej kamienicy. W kuchni, o zawsze zaparowanych oknach, ojciec rozkładał na stole księgi rachunkowe, a tymczasem pani Zadorożna smarowała dla mnie chleb smalcem ze skwarkami, a na to kroiła kiebłasę. Mama nigdy nie pozwoliłaby mi jeść chleba i ze smalcem, i z kiełbasą. Albo to, albo to.

Pamiętam stamtąd wszechobecny zapach przypalonego w żeliwnym garnku mięsa.

Inny był smak i zapach potraw gotowanych czy pieczonych na gazie, a inny na płycie węglowego pieca. Na tym rozgrzanym piecu zawsze coś się przypalało, a trudne do upilnowania mleko kipiało na płytę. Dziś nastawia się termostat lub minutnik, wtedy wszystko gotowało się na wyczucie; nawet przepisy były mało precyzyjne, co pozwalało rozwijać fantazję. Dziś nowoczesna kuchnia przypomina raczej laboratorium, w którym „produkuje" się jedzenie.

Nie wiem, czy mak utarty w makutrze miał lepszy smak niż zmielony w maszynce elektrycznej, ale przypuszczam, że był to smak inny.

Ojciec nie znał się na gotowaniu. Bardzo smakowało mu to, co mama przyrządzała, i czasami wstawał w nocy i chodził do kuchni podjadać sobie. Pamiętam takie zabawne zdarzenie, gdy kiedyś rano powiedział do mamy: „Wiesz, Heniu, ten sos nie bardzo ci się udał. Jest zupełnie bez smaku."

„Jaki sos?" — spytała zdziwiona mama.

„No ten, który stoi w rondelku na piecu."

„Oczywiście, że bez smaku, bo to tylko mąka z wodą. Najadłeś się kleju, który przygotowałam dla Wojtka do szkoły."

Ojciec mój był bardzo spokojnym człowiekiem. Nigdy nie podnosił głosu i we wspomnieniach widzę go smutnego.

Rodzice stracili we Lwowie wszystko. 1 września 39 roku mieli przyjść robotnicy, by zacząć budowę wymarzonego przez ojca, naszego domu na Wysokim Zamku. Pamiętam, że potem w Gliwicach czasami oglądał plany tego nie wybudowanego domu. Dom miał być duży, z widokiem na cały Lwów. Ojciec nigdy nie pogodził się z tym, że musiał Lwów opuścić, i powtarzał często, że gdyby mógł, to z małym wózeczkiem i na piechotę do Lwowa by wrócił.

Myślę, że ojciec umarł z tęsknoty za Lwowem. Niewiele pamiątek zostało mi po nim; jego indeks z Politechniki Lwowskiej, słownik polsko-francuski i szachy. Na moje ósme urodziny dostałem od niego książkę „Nauka gry w szachy" T. Czarneckiego.

W bibliotece, którą założyła mi mama, książka ta nosiła numer 33. Mam ją do dzisiaj.

☆

Śląsk pamiętam słoneczny. Lata były upalne. Mama opalała się w ogródku już od wiosny i pamiętam, jak zwracała na siebie uwagę – opalona, zawsze w kapeluszu, w klipsach i w rękawiczkach.

Nie lubiłem, gdy zabierała mnie ze sobą do miasta na zakupy. Była energiczna i bardzo szybko chodziła; nie mogłem za nią nadążyć, więc brała mnie zdecydowanie za rękę i tak pędziliśmy przez ulice Gliwic, aż dostawałem od tego kolki. W dodatku cały czas nuciła fragmenty arii operowych; uwielbiała opery i wiele z nich znała na pamięć.

Przechodnie oglądali się za nami zdziwieni, a ja, mały chłopiec w białych podkolanówkach, chciałem zapaść się ze wstydu pod ziemię.

Kiedy wspominam moją mamę z tamtego okresu, myślę, że jej ekscentryczne zachowanie, oprócz niepohamowanej potrzeby zwracania na siebie uwagi, wyrażało także niezgodę na to, co się wokół działo, na brzydotę i szarość, które opanowywały nieuchronnie nasze życie.

Na swój sposób broniła pewnego stylu życia, trochę śmiesznych, burżuazyjnych manier, które jednak były wyrazem jej przywiązania do tamtego przedwojennego świata, z którego pochodziła.

Uczyła mnie, że ważne jest, czy stół jest ładnie nakryty, czy mam obcięte paznokcie i wyczyszczone buty; że książki należy szanować, a w ubikacji ma być czysto; że na ulicy się nie je, a w domu nie gwiżdże.

Po śmierci ojca znaleźliśmy się w prawdziwej nędzy i matka zaczęła szukać pracy. Nigdy przedtem nie pracowała i trudno jej było znaleźć posadę.

Wreszcie zatrudniła się jako magazynierka w przedsiębiorstwie budowlanym. Magazyn mieścił się w baraku, który stał na terenie typowej polskiej budowy – z jej brudem, bałaganem, krzywym płotem skleconym byle jak z byle jakich desek, przekleństwami robotniczej braci od rana „na lufie" i błotem po kostki w deszczowe dni.

Mama, prawdę mówiąc, niewiele miała do roboty poza pilnowaniem, żeby z tego magazynu nikt nic nie ukradł.

Kiedyś w słoneczny dzień wystawiła sobie krzesełko i zaczęła się opalać.

Była jak zwykle starannie ubrana, miała śnieżnobiałą bluzkę i barwną spódnicę, a w uszach klipsy.

Kiedy tak siedziała z odchyloną do tyłu głową i przymkniętymi oczami, nagle... chlusnęło na nią z dachu wiadro brudnej wody, a wkoło rozległ się śmiech ubawionych robotników.

Tak oto moja biedna mama została ukrana za swój niedostosowany do „rzeczywistości socjalistycznej" sposób bycia.

Prawdziwą jej pasją była opera. Wieczorami, kiedy ja i ojciec kładliśmy się wcześniej spać, mama z Antkiem w sąsiednim pokoju słuchali oper. Często były to bezpośrednie transmisje z mediolańskiej La Scali.

Mama coś cerowała, szyła i robiła rękawiczki, żeby dorobić do pensji ojca, a Antek malował swoje obrazki.

Jeszcze dziś słyszę dokładnie głos Benjamina Gigli, Maria del Monaco, Tita Schipy; głuchy huk sali, entuzjastyczne okrzyki i oklaski po zakończeniu niektórych arii. Wszystkie te dźwięki przybliżały się i oddalały wraz z falą radiową, jakby kołysząc mnie do snu.

Gdy miałem sześć lat, mama zabrała mnie po raz pierwszy do teatru; była to operetka Lehara „Kraina Uśmiechu" z Martą Artykiewicz i Henrykiem Trojanowskim. Siedzieliśmy blisko sceny w loży balkonowej. Byłem niezwykle przejęty. Wstydziłem się okropnie, że mam krótkie spodenki i zwracam powszechną uwagę jako jedyne dziecko na sali.

To moje pierwsze zetknięcie z teatrem było dla mnie bardzo silnym przeżyciem; zakochałem się śmiertelnie w Marcie Artykiewicz.

Od tego czasu regularnie chodziłem z matką do teatru i nie opuściłem żadnego koncertu. Zacząłem się uczyć gry na skrzypcach w podstawowej szkole muzycznej w klasie prof. Zarudzkiej.

Niestety nie lubiłem ćwiczyć i mama postanowiła wzmocnić nade mną kontrolę; musiałem ćwiczyć przy niej, gdy przygotowywała w kuchni obiad.

Kuchnia była przestronna, z wyjściem na loggię i dużym pojedynczym oknem, przez które widać było nasz ogród.

Stał tam duży kuchenny piec na węgiel, kuchenka gazowa, wysoki kredens oraz stół, który dłuższym bokiem przystawiony był do ściany. Na nim ustawiałem rozłożone nuty i ćwiczyłem.

Mama głośno mówiła, co robi. Np. „Dziś na obiad zrobię żeberka z kapustką gęstowaną. Żeberka muszę teraz przysmażyć, posolić, dorzucić kminku” itd.

Nie sądzę, żeby były to zamierzone lekcje gotowania, mama miała po prostu potrzebę mówienia do kogoś. Byłem mały i do tego skupiony na grze na skrzypcach, więc był to raczej monolog; mówiła jednak głośno i te mimochodem wypowiadane słowa zapadały we mnie.

Gdy uznawała, że gram źle, mówiła: „To nie tak, fałszujesz!”, przerywała gotowanie, wycierała ręce w kuchenny fartuch, brała ode mnie skrzypce i grała ten fragment. „Tak to trzeba grać. Jeszcze raz” – po czym wracała do gotowania.

Od czasu do czasu prosiła: „Skosztuj, czy ten sos jest dość słony”, lub pytała: „Czego tu brakuje?” Nienawidziłem tego, ale posłusznie kosztowałem i kosztowałem.

W sobotę i niedzielę, kiedy moi bracia mieli „wychodne”, musiałem obierać ziemniaki. Było to szczególnie nieznośne na wiosnę, gdy pojawiały się młode ziemniaki; mama uważała, że najlepsze są ziemniaki wielkości orzecha.

Siedziałem na balkonie skrobiąc je i obserwowałem kolegów bawiących się na podwórku. Mama nie pozwalała mi się z nimi bawić, gdy nie chciałem spać po południu, gdy nie dość długo ćwiczyłem na skrzypcach i dopóki nie skończyłem skrobania ziemniaków.

Nie lubiłem grać na skrzypcach ani spać po południu, a szczególnie nie znosiłem skrobania ziemniaków.

Koledzy do mnie wołali, a ja stroiłem do nich miny i cierpiałem. Postanowiłem wyrzucać na podwórko co drugi ziemniak. Mama kupowała ich coraz więcej, aż pewnego dnia zorientowała się, że w trawie pod naszą loggią jest pełno ziemniaków; musiałem je wszystkie pozbierać i oskrobać.

Do tej pory nie lubię kosztować w czasie gotowania i unikam funkcji kuchcika.

Kiedy umarł ojciec, miałem trzynaście lat. Moi bracia byli już poza domem; Antek studiował w Krakowie, a Jurek był żonaty i miał swój dom.

Zaczęło brakować pieniędzy. Pamiętam ohydny smak margaryny na kanapce, którą mama robiła mi do szkoły. Bieda. Ogród oddaliśmy naszej sąsiadce, pani Zawadzkiej, ponieważ mama nie miała siły go uprawiać, a ja byłem za mały. Bez ojca mama stała się bezradna, często w domu nie było niczego do jedzenia. Pewnego dnia wpadłem na genialny pomysł. Za ostatnie drobne kupiłem w sklepie rybnym śledzia. Pożyczyłem od sąsiadki jajko. Sprawiłem tego śledzia, otoczyłem go w mące, jajku i bułce tartej i usmażyłem. Pachniało pięknie. Nakryłem do stołu i zaprosiłem mamę na kolację. Usiedliśmy i zaczęliśmy jeść. Niestety śledź był solony, wprost z beczki. Do dziś widzę tę scenę: siedzimy z mamą głodni nad niejadalnym śledziem. Nawet Piątek, równie wygłodzony jak my, nie chciał tego tknąć.

Takie było moje pierwsze doświadczenie w roli kucharza. Zacząłem gotować naprawdę podczas studiów, mieszkając w akademiku, a gdy po studiach zostałem zaangażowany do Starego Teatru w Krakowie i zamieszkałem na strychu tego teatru, kupiłem barek i lodówkę i zacząłem dla własnej przyjemności wydawać kolacje dla kolegów i przyjaciół.

Potem, gdy przeniosłem się do Warszawy, gotowanie stało się dla mnie najlepszym wypoczynkiem.

Nie wyobrażam sobie, że po powrocie z teatru czy kabaretu mógłbym zasnąć. Mimo zmęczenia jestem jak rozpędzona maszyna, która potrzebuje pewnego czasu, by się zatrzymać.

Na ogół wstaję późno, moje śniadanie jest dla innych obiadem, a obiad późną kolacją.

Gdy pojawiła się w moim życiu Basia, wszystko się skomplikowało. Basia, psycholog, pracowała wtedy w żłobkach i wstawała bardzo wcześnie rano. Gdy wracałem późną nocą po kabarecie, już spała, a kiedy rano wychodziła do pracy, ja jeszcze spałem. Pisywaliśmy tylko do siebie liściki. Czasami chciałem z nią o czymś porozmawiać, wymyślałem wtedy jakieś danie, którego przygotowanie zabierało mi nieraz kilka godzin, a gdy wszystko było gotowe, stół ładnie nakryty, zapalałem świece i budziłem Basię, zapraszając ją na „kolację". Nie złościła się nigdy o to, może dlatego, że była raczej nieprzytomna. Nazywaliśmy to „poranne kolacje dla Basi".

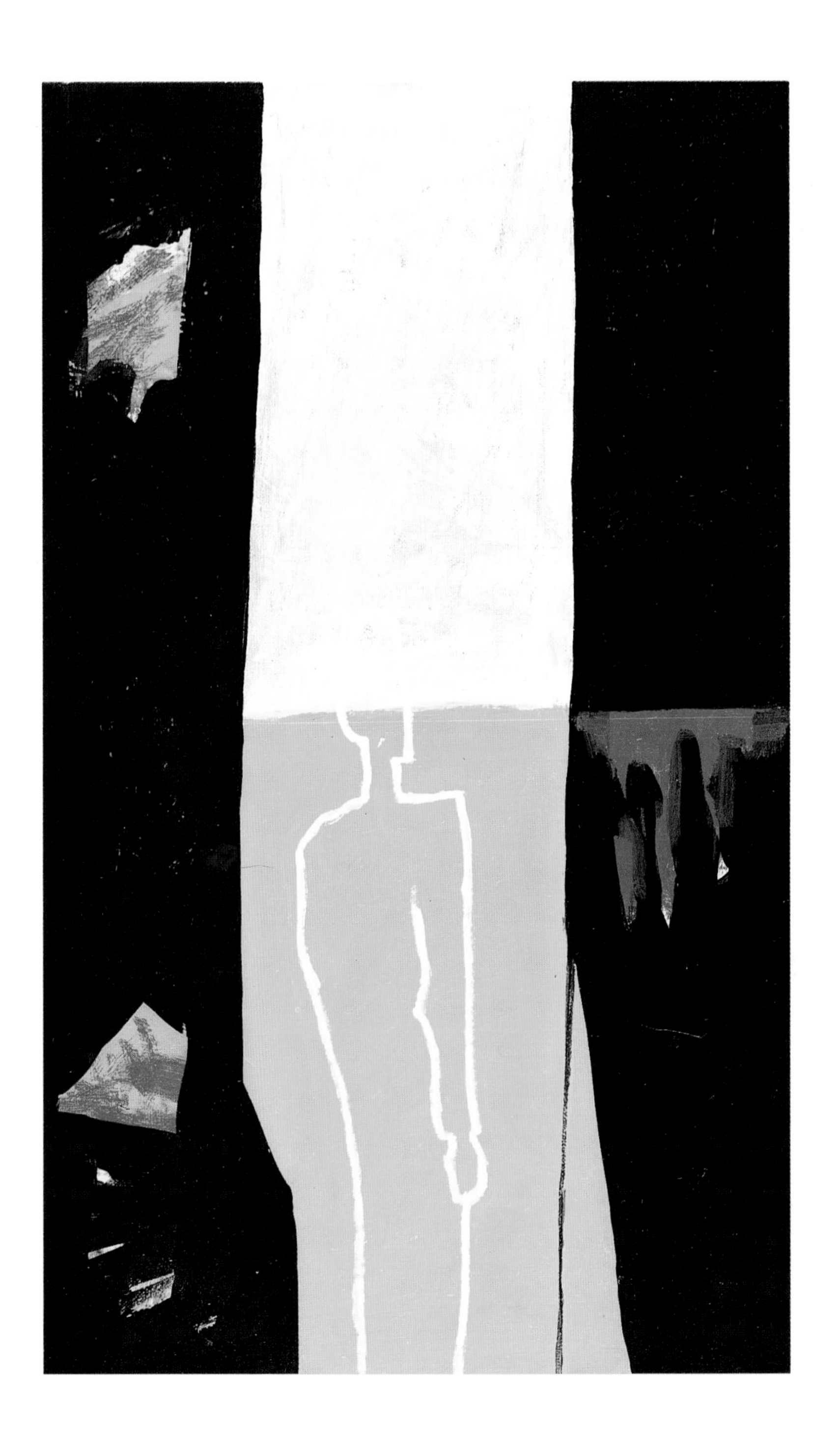

Michał Kowalski
Bez tytułu

☆

Danka i François Mentha, architekci z Genewy, zaprosili nas kiedyś na wykwintną kolację do Włoch.

W małej miejscowości Monforte d'Alba, położonej w samym sercu Piemontu, znajduje się słynna restauracja „Giardino Da Felicin", do której w sezonie na białe trufle zjeżdżają się smakosze z całego świata i miejsca trzeba rezerwować na wiele miesięcy wcześniej.

Szef kuchni pan Rocca, przechadzając się między stolikami, proponował „perfumowanie" dania świeżą truflą, którą osobiście strużył nad talerzem na specjalnej tarce. Tych kilka cieniutkich płateczków potrajało cenę dania, nikt jednak sobie nie żałował; wszyscy po to przyjechali tu z miejsc oddalonych czasami o tysiące kilometrów. Cała restauracja wypełniła się cudownym zapachem świeżych białych trufli.

Na drugi dzień w drodze powrotnej wstąpiliśmy na degustację wina do Barolo, jednej z winnic położonej na wzgórzu.

Piękna żona właściciela zaprosiła nas na taras. Sącząc z kryształowych kieliszków doskonałe wino, zachwycaliśmy się krajobrazem. Patrzyliśmy na malownicze pagórki pokryte polami, łąki z kępami drzew, wśród których kryły się domostwa i kościoły, a jesienne, lekko zamglone słońce podkreślało subtelności w kolorach tego pejzażu.

„Tu jest tak pięknie jak w Lanckoronie" – powiedziałem i nagle zatęskniłem za nią.

Lanckorona, położona na szczycie zalesionej góry zaledwie trzydzieści kilka kilometrów od Krakowa, króluje nad okolicą. Była znaną miejscowością letniskową już przed wojną. Oprócz części willowej ma część starą, zabytkową, z ruinami zamku i ślicznym rynkiem, otoczonym drewnianymi domami z początku XIX wieku.

Nie ma tu miejsc płaskich, ciągle gdzieś się wchodzi lub schodzi. W pensjonatach u „Basi" lub u „Tadeusza" zatrzymują się znani artyści. Lanckoronę odkryła mi Krysia Zachwatowicz. Przyjeżdżaliśmy tam często z Konradem Swinarskim, a potem, już z Warszawy, zacząłem jeździć tam z Basią.

Trąbka, Łopata, Wiatr, Maślanka, Piź, Miska, Zając, Król, Maj – to tylko niektóre z tradycyjnych chłopskich nazwisk naszych lanckorońskich znajomych. Ma Lanckorona swoich oryginałów. Profesor Halpern, posiadacz bogatej kolekcji żołnierzyków rozmaitych formacji i epok, rozgrywa na poligonie zrobionym ze stołu pingpongowego sławne bitwy zgodnie z ich historycznym opisem, analizując strategiczne błędy dowódców.

Inną barwną postacią jest Tadeusz Loranc, właściciel pensjonatu wybudowanego przez jego ojca legionistę. Pan Tadeusz uwielbia Piłsudskiego i w czasach gdy było to jeszcze źle widziane, kupił obraz przedstawiający Wodza na koniu w otoczeniu generalizcji. U kopyt końskich tarza się błagający o litość bolszewik, a Wódz, patrząc przed siebie, dumnym gestem wskazuje widniejący w oddali Kijów. Obraz ten, gigantycznych rozmiarów, leży zwinięty w rulon i tylko nieliczni dostępują zaszczytu obejrzenia go.

Do dziś można oglądać zbudowany przez pana Tadeusza według własnego projektu drewniany samochód, który podobno nawet kiedyś jeździł. Automobil ten jest majstersztykiem sztuki szkunerskiej, a z tyłu ma ogon – ster, jaki się widywało w samolocie „kukuruźnik"; połączony linkami z kierownicą, zmieniał pozycje na zakrętach.

Pupilem pana Tadeusza był olbrzymi baran, któremu nie strzygło się wełny. Czasami pan Tadeusz zabierał go do miasta na przechadzkę; przystrojony czerwoną wstążeczką, baran chodził przy jego nodze jak pies. Był zazdrosny o pana Tadeusza; szczególnie nie lubił kobiet i zdarzało się, że gdy jakaś wczasowiczka wyszła na wieczorny spacer, zaczajał się na nią za krzakiem i wydając krótki ostrzegawczy bek, ruszał do ataku – dududu... dududu... – przeganiając ją z powrotem do pensjonatu.

W Lanckoronie chodziliśmy na długie spacery: do ruin zamku, do lasu na drugą stronę góry, do kapliczki Konfederatów Barskich i na szczególnie piękny – w kierunku na Brody. Na jednym z tych spacerów zamarzyliśmy z Basią, by mieć tam dom.

Gdy nadarzyła się okazja, zaczęliśmy pożyczać od przyjaciół pieniądze, by uzbierać odpowiednią sumę, a wreszcie połączyliśmy siły z Jasiem Zylberem i wspólnie kupiliśmy zabytkowy, drewniany, kryty gontem dom z dużym ogrodem.

Kiedy minął pierwszy entuzjazm, okazało się, że posiadanie starego zabytkowego domu ma poważne minusy. W wielkiej sieni łączącej obie jego części zamiast podłogi było klepisko. W pokojach wilgoć, bo dom nie miał fundamentów i stał na stoku, więc w czasie deszczu zatrzymywała się na nim woda. Belki w większości były zmurszałe, w domu brakowało kanalizacji i wodę, niezdatną zresztą do picia, trzeba było ciągnąć z pobliskiej studni, a tzw. ogród okazał się gliniastą stromizną z trzema rozpaczliwie w nią wczepionymi krzywymi jabłonkami.

Tak oto znaleźliśmy się w XIX wieku w kurnej chłopskiej chacie, w której każde drzwi miały inną wysokość i każda chwila zamyślenia kończyła się bolesnym guzem na czole.

Trzeba było coś z tym począć.

Postanowiliśmy zrobić remont, ale zachowując zabytkowy charakter domu. Słynny ze śmiałych pomysłów Jasiek twierdził, że najlepiej by było zburzyć i wybudować na nowo pół domu, nie ruszając dachu. Ale kto się tego podejmie?!

Dzięki scenografowi Kazimierzowi Wiśniakowi – który wybudował w Lanckoronie śliczny dom i miał spore doświadczenie – poznaliśmy rodzinę Kiepurów.

Na którejś z narad technicznych Kiepura zapytał fachowo: „Ponie Zelber, a jak się zawali?" „To niech się zawali" – uspokoił go Jasiek i robota ruszyła. Piece zaprojektował Kazio Wiśniak i osobiście dopilnował ich wykonania. Dach się nie zawalił i chata została uratowana.

Po ukończeniu remontu chata, tradycyjnie wylepiona gliną i pobielona farbką o niebieskim odcieniu, zaczęła żyć.

Ogród został wyrównany i obsiany trawą, Jasiek osobiście posadził żywopłot z czterystu krzaków ałyczy oraz inne ozdobne krzewy, tak że wkrótce stał się piękny. Jeden tylko pomysł się nie udał – posadzone przed domem krzaki szlachetnych róż zostały rozkradzione co do jednego.

Rodzina i przyjaciele pomogli nam wyposażyć dom w niezbędne rzeczy. Wyblakła pościel, trochę ubite kubki, sztućce nie do pary, zdekompletowane talerze – wszystko znalazło w Lanckoronie swoje miejsce. Maja mama, która miała ładne stroje, do śmierci narzekała: „Nie mam nic na chlapę". Otóż w Lanckoronie posiadamy rzeczy wyłącznie na chlapę: stare obuwie, podniszczone palta, sukienki, które wyszły z mody, wszystko tam jest takie. Zrobił się z tego swoisty styl.

Jeździli tam chętnie rodzice Basi; zostawali aż do jesieni, kiedy można było zebrać orzechy z ogrodu. W naszej chacie zatrzymał się też kiedyś znany francuski pisarz Pascal Lainé; umieścił w niej akcję swojej ostatniej powieści „Dialogues du désir", wydanej u Laffonta w 1992 roku. My przyjeżdżaliśmy najczęściej na Wielkanoc i na święta Bożego Narodzenia, a któregoś roku postanowiliśmy z Jaśkiem urządzić tam sylwestra.

OWOCE
K. WIŚNIAK
NOCNE ŻYCIE W LANCKORONIE

Zamówiliśmy u Kiepury świnkę, którą dla nas tuczył. Przyjaciele przyjechali na kilka dni. Zamówiliśmy dla nich pokoje u „Basi" i w pobliskim hoteliku. Każdy przywiózł coś do jedzenia i do picia; ułożyło się z tego bogate i różnorodne menu.

Już sam dojazd był przeżyciem; było tak ślisko, że nie mogłem podjechać pod dom i musiałem poprosić chłopa, by mnie wciągnął na górę traktorem. On też miał trudności i miotał moją ładą na zakrętach. Mały fiacik Małgosi Łagockiej zdejmowaliśmy z klombu przy wjeździe do wsi. Byliśmy zasypani śniegiem i odcięci od świata. Gdy elektryczność wysiadała, paliliśmy w piecach starymi gontami, a wieczorem siedzieliśmy przy świecach i lampach naftowych.

Utuczoną dla nas świnkę Kiepura przerobił na pasztetówki, kiełbasy, salcesony i inne frykasy. Nazwaliśmy ją Grecia i piliśmy jej zdrowie, bo „jak Grecia była zdrowa, to i my będziemy zdrowi". Andrzej Hała przywiózł puszkę rybek spod bieguna północnego, ofiarowaną mu przez jakiegoś fińskiego inżyniera wraz z dokładną instrukcją obsługi. Puszka miała lekki „bombaż" i należało ją otwierać ostrożnie, na silnym mrozie i pod wodą. W czasie tej operacji słup wody z wiadra osiągnął wysokość dwóch metrów, a towarzyszył mu odór przypominający wybuch szamba.

Kazio Wiśniak odważnie skosztował jedną rybkę, lecz gdy wszedł do chaty mówiąc, że zupełnie smaczna, w mgnieniu oka został sam; zapach, którym zionął niczym smok wawelski, rzeczywiście był nie do wytrzymania.

Bawiliśmy się doskonale. Wszyscy byli zgodni, że sylwester był wyjątkowo udany i postanowiliśmy następne spędzać w tym samym gronie. Oprócz Jasia i Małgosi byli z nami: Zosia i Krzysztof Michalscy, Halina Golanko, Andrzej Kotkowski, Joasia hrabina Ronikier, Kazio Wiśniak, Kasia Miller, Paweł Wyrzykowski, Ola i Jaś Adamczykowie z Krakowa, Asia i Andrzej Hałowie z Gliwic, Danka i François Mentha z Genewy oraz Jacek Baszkowski i oczywiście Danka Rinn.

W Lanckoronie udało nam się spędzić dwa sylwestry. Kolejny, zaplanowany na przełomie 1981/1982, nie odbył się z wiadomych przyczyn.

Kazimierz Wiśniak
Nocne życie w Lanckoronie

W grudniu 81 roku, tuż przed ogłoszeniem stanu wojennego, Kabaret Pod Egidą odbywał tournée po Stanach Zjednoczonych. Ewa Dałkowska, Joasia Żółkowska, Piotrek Fronczewski, Marek Groński, Janek Pietrzak i ja oraz zespół muzyczny z Danusią Gawrych stanowiliśmy zgraną grupę.

Byliśmy entuzjastycznie przyjmowani przez amerykańską Polonię, która kupowała każdy dowcip polityczny, co było wyrazem niezwykłego zainteresowania tym, co się wtedy w Polsce działo.

Na zakończenie każdego spektaklu śpiewaliśmy „Żeby Polska była Polską" i zawsze wtedy wszyscy wstawali. Coś magicznego było w tej piosence, która urastała do rangi wielkiej patriotycznej pieśni i wzruszała do łez nawet najbardziej opornych.

Po każdym niemal spektaklu byliśmy zapraszani na kolację. Starając się nas serdecznie ugościć, gospodarze przygotowywali to, co jak sądzili, sprawi nam największą przyjemność, czyli zazwyczaj kotlet schabowy, kiełbasę lub bigos z wódką.

Codziennie występowaliśmy w innym mieście, przemierzając autobusem po kilkadziesiąt, a czasem kilkaset mil.

Kiedy po powrocie pytano mnie, jak było w Stanach Zjednoczonych, odpowiadałem: „Fantastycznie. Żeby Polska była Polską. Entuzjam. Bigos, kotlet schabowy, kiełbasa. Autobus. Żeby Polska była Polską. Entuzjazm. Bigos, kotlet schabowy, kiełbasa. Autobus. Żeby Polska była Polską. Entuzjazm. Bigos, kotlet schabowy, kiełbasa. Autobus. Żeby Polska była Polską. Fantastycznie..."

Zaraz po powrocie do Warszawy postanowiłem zadbać o moją wątrobę i zjeść coś lżejszego. W sklepach były wtedy jeszcze większe pustki niż zwykle, więc poszedłem na targ przy Polnej, gdzie baby, korzystając z sytuacji, śrubowały ceny. W dalszym ciągu przeliczałem wszystko na dolary i ceny wydawały mi się przyzwoite.

Kupiłem wielkiego indyka i przyniosłem do domu.

„Ile zapłaciłeś?" – pyta Basia.

„Siedem tysięcy złotych."

„Co? Siedem tysięcy złotych za indyka?"

„Basiu, to tylko siedem dolarów, za to w Ameryce dostałbym zaledwie kanapkę." Basia nie mogła się uspokoić. „Ale jesteś w Polsce. Trzeba zwariować, żeby dać za indyka siedem tysięcy! Żeby to chociaż była indyczka, bo jeśli to indyk, będzie twardy i nie do zjedzenia."

Postanowiliśmy zwrócić się do naszej pani Frani, żeby stwierdziła, czy to indyk, czy indyczka, bo ptak jest oskubany i bez głowy. Mądra, kochana pani Frania oświadczyła, że na oko jest to indyk wielkości bociana, ale przed wypatroszeniem nic więcej nie może powiedzieć. Czekaliśmy w napięciu. Po dłuższej chwili usłyszeliśmy: „Znalazłam jąderka – indor."

Zauważyłem, jak Basia nabiera powietrza, żeby coś powiedzieć. Zareagowałem natychmiast: „Basiu, jeśli powiesz jeszcze jedno słowo, wyrzucę tego indyka przez okno!" Chyba zobaczyła, że nie żartuję, bo się nie odezwała.

Indyk przeleżał się w zamrażalniku ze dwa tygodnie i został podany na jednej z pierwszych kolacji stanu wojennego. Upiekliśmy go według recepty z książki Monatowej. Był doskonały.

Lubię alkohol, ale nie piję ani przed, ani w czasie spektaklu. Nie mógłbym też grać z pełnym żołądkiem. Natomiast po spektaklu lubię zasiąść do stołu, jeść, pić i rozmawiać. Takie kolacje ciągną się nieraz przez wiele godzin.

Na kolacje też, nigdy na obiad, zapraszaliśmy przyjaciół. Na tych kolacjach oprócz nas prawie zawsze obecna była tzw. rodzina: Jasiek Zylber z Małgosią Łagocką, Bogusia – siostra Basi oraz Danka Rinn. Do tej szóstki dołączało zawsze od czterech do sześciu innych przyjaciół.

Najważniejsze w tych spotkaniach były rozmowy o wszystkim, co się wokół nas działo; czasami kłóciliśmy się, było też dużo śmiechu. Umawialiśmy się zawsze przez telefon; mieszkaliśmy dość daleko na Ochocie i nie zdarzało się, by ktoś do nas wpadał ot tak, bo mu było po drodze. Jedynie w stanie wojennym, gdy w początkowym okresie nie było łączności telefonicznej, często przyjaciele zjawiali się u nas niespodziewanie, mimo że było dużo śniegu i prawdziwe problemy z komunikacją. Szli czasem pieszo przez pół miasta, żeby sprawdzić, czy wszystko w porządku, podzielić się zasłyszanymi nowinami i porozmawiać o tym, co nas jeszcze czeka.

Była to jedyna miła rzecz stanu wojennego.

Niezapowiedziani, przynosili często coś do jedzenia i własnego pędzenia bimber. Atmosfera tych kolacji była specjalna. Słuchaliśmy trzeszczącego od zakłóceń radia, na przemian Wolnej Europy i Głosu Ameryki. Czytaliśmy romantyczną poezję, starając się na nowo rozszyfrować znaki zapowiadające niepodległość Polski.

Małgosia Braunek i Andrzej Krajewski przynosili wiadomości od pewnej jasnowidzącej staruszki, która uwielbiała naleśniki, i w zależności od tego, na ile części naleśnik rozkroiła, mówiła że, rychło Związek Radziecki rozpadnie się na pięć lub siedem części (jak widać, wiele się nie pomyliła). Dużo i chętnie śmialiśmy się; śmiech pozwalał choć na chwilę rozładować napięcie, które wszyscy odczuwaliśmy.

Gdy rozmowy były szczególnie gorące, zapominaliśmy, że zbliża się godzina policyjna, i zdarzało się, że dopiero ktoś spojrzawszy na zegarek podrywał się nagle przed deserem i wybiegał w pośpiechu, pociągając za sobą innych.

Niektórzy zostawali. Mieliśmy przygotowane materace, które rozkładało się w salonie, i robił się tzw. pokot.

Na kolację ze spaniem przychodził do nas często nasz przyjaciel malarz Jacek Baszkowski. Jacka nazywaliśmy „majorem". Nazwałem go tak w czasie pewnej zaimprowizowanej w czasie kolacji zabawy. On zwracał się do mnie per komendancie, a ja przepytywałem go, co tam u niego w resorcie spraw wewnętrznych słychać. Od tego czasu pisywaliśmy do siebie karteczki z wakacji w formie rozkazów dziennych; w zależności od widzimisię degradowałem go lub awansowałem na nowo. To przezwisko bardzo szybko przyjęło się wśród przyjaciół i wszyscy w tę zabawę między nami chętnie się włączali.

W czasie stanu wojennego Jacek przez domofon musiał powiedzieć coś, co było hasłem, np. „punktualność" albo „bezpieczeństwo" itp. Rozkładaliśmy gazety, otwierało się jakieś puszki i rozmowy przy wódce odbywały się w łamanym rosyjskim języku. Były to „kolacje w obozie wroga". Mamy jeszcze list Jacka, w którym zapowiadał swoje przyjście do nas 5 stycznia. Jak wiadomo, poczta była w tym czasie cenzurowana, ale ten list ocenzurowany nie został, bo Jacek włożył go do okolicznościowej koperty z okolicznościowym znaczkiem z okazji czterdziestej rocznicy PZPR. List zaadresowany był urzędowo: „Obywatelka Pszoniak Barbara", a gdyby odważny cenzor list otworzył, natknąłby się na napisanych po rosyjsku kilka zdań z podpisem „Major".

Ulubioną zabawą w czasie naszych wieczornych spotkań z przyjaciółmi była poezja improwizowana na zadany temat: wojskowy, patriotyczno-narodowy, miłosny lub inny.

Przyjaciele prosili, abym coś „zadeklamował", i ja, parodiując znane egzaltowane utwory, wymyślałem nowe; Andrzej i Magda

Dudzińscy z Nowego Yorku mają taśmę z jednego z takich „wieczorów poetyckich". Podobno jest to śmieszne.

Przyznaję, że nie lubię poezji czytanej głośno, interpretowanej przez aktorów. Wolę obcować z poezją bez pośredników. Gdy poezję czyta jej autor, wtedy na ogół jest to czytanie „skromne", skupione na przekazaniu myśli; natomiast niewielu znam takich aktorów, aktorzy, których sposób czytania poezji mnie porusza. Do nich należy Gustaw Holoubek, ale ja Gucia uwielbiam i słuchać go mogę godzinami.

Większość jednak aktorów i aktorek matek-Polek mówiących, a raczej interpretujących wiersze mnie drażni; im więcej emfazy i egzaltacji w takiej interpretacji, tym bardziej staję się obojętny, a tak zwana poezja liryczna czytana z nutką zadumy w głosie na tle cichej muzyki po prostu mnie śmieszy.

Nic na to nie poradzę.

Sam nie umiem poezji głośno „interpretować" i gdy mnie o to proszą, z reguły odmawiam. Trzykrotnie jednak uległem.

Raz było to w Osny niedaleko Paryża, na wielkim spotkaniu Polaków zorganizowanym przez oo. palotynów.

Z palotynami jestem zaprzyjaźniony. Cenię ich działalność zainicjowaną przez księdza Sadzika, a kontynuowaną przez księdza Zenona Modzelewskiego i Danutę Szumską z wydawnictwa Centre du Dialogue. W siedzibie palotynów w sali Centre du Dialogue przy ulicy Surcouf odbywają się spotkania z ludźmi kultury i sztuki, pisarzami, politykami, duchownymi, że wymienię tylko niektórych: Halina Mikołajska, Stefan Kisielewski, Artur Międzyrzecki, Julia Hartwig, Andrzej Kijowski, Jerzy Kłoczowski, Andrzej Wajda, Sławomir Mrożek, Lech Wałęsa, Janusz Pasierb, Józef Czapski, Kazimierz Brandys, Adam Zagajewski, Michał Heller, Krzysztof Pomian, Czesław Miłosz, Ola Watowa i inni.

Mądre apostolstwo. Prawdziwy przykład tolerancji i otwarcia na inność.

W Osny przeczytałem zgromadzonym wyjątek z „Pana Tadeusza" – koncert Jankiela. Przypomniałem sobie wówczas, jak w Polsce Ludowej, w Kabarecie Pod Egidą, udawało mi się czasem podać tekst w taki sposób, by publiczność zrozumiała aluzję, a cenzor przepuścił. Była to podniecająca zabawa.

Drugi raz w Centre Pompidou czytałem po francusku wiersze Czesława Miłosza. Poprosił mnie o to nieodżałowany Kot Jeleński.

Trzeci raz w Genewie, w klubie polonijnym, na wieczorze Oli Watowej czytałem wiersze Aleksandra Wata. Ale to dla Oli.

☆

W Paryżu zdarzyło się nam, że w odstępie dwóch, trzech miesięcy byliśmy trzykrotnie u pewnych znajomych i za każdym razem na stół wjeżdżało to samo danie, zapowiedziane jako niespodzianka dopiero co wymyślona przez panią domu. To zadecydowało, że postanowiliśmy założyć „Książkę Gości", w której oprócz daty spotkania wpisujemy kto był na kolacji, jakie było menu, jakie piliśmy wina, a czasami notujemy również czego kto nie lubi. I tak:
Roland Topor nie jada podrobów. Marysia i Kazik Brandysowie lubią wczesne kolacje. Dzidzia Herman nie lubi truskawek. Adaś Zagajewski pija tylko białe wina. Psychiatra Jacques Feillard nie lubi czosnku, a jego żona Małgosia oliwy z oliwek. Andrzej Wajda uwielbia chleb. Sabine Monirys – malarka, nie tyka mącznych dań. Sławek Mrożek przychodzi na kolacje punktualnie co do sekundy. To samo reżyser Marcel Bluval. Jacek Jarymowicz – psycholog z Warszawy, uznaje tylko jarską kuchnię. Basia Hoff i Robert Kulesza nie piją alkoholu. Jasiek Zylber otwarty jest na każdą nowość, pod warunkiem, że jest to zupa pomidorowa jego mamy.

Oto kilka przykładów z tej książki:

Goście: Dzidka Herman *luty 1986 r.*
Chantal Petit
Agnieszka Holland
Krysia Zachwatowicz
Romek Cieślewicz
Andrzej Wajda
Kot Jeleński

Menu: Śledź w oliwie
Sałata z wędzonym pstrągiem
Zapiekanka z grzybami
Strucla z orzechami
Strucla z makiem

Jacek Baszkowski
Plat du jour

Goście: Julia Hartwig
Artur Międzyrzecki
Marysia i Kazik Brandysowie
Państwo Najderowie
Maja i Adam Zagajewscy

21 listopada 1986 r.

Menu: Sałata z krabów i awokado
Wołowina w sosie ostrygowym z zieloną fasolką
Sałatka z ananasa ze świeżą bazylią
wino: *Beaujolais village*

Kolacja Wojtka dla przyjaciół u Horowitzów w Nowym Yorku.

Goście: Ania i Rysiek Horowitzowie *grudzień 1991 r.*
Monika i Witek Markowiczowie
Felicja i Marek Milewiczowie
Magda i Andrzej Dudzińscy
Ula i Jurek Bekerowie
Ela Czyżewska
Ewa Zadrzyńska
Janusz Vogler
Kropka Gosławska ze znajomą
Aneta Insdorf z mamą Cesią

Menu: Tatar z łososia z oliwą truflową
Udziec jagnięcia w jarzynach
ze smażonymi w ziołach młodymi ziemniakami
Jabłecznik Ani Horowitz

☆

Goście: Françoise i Pierre Bourbonowie *Paryż 4 lutego 1992 r.*
Małgosia i Jacques Feillardowie
Joanna i Wiesiek Czerwińscy
Psy: Paddy Czerwińskich
Api Bourbonów, który obsikał naszą białą łazienkę.

Menu: Surowy łosoś marynowany w cytrynie i oliwie z różowym pieprzem
Udziec barani w piwie z kaszą gryczaną, ziemniakami i bobem w koprze
Sałata
Sery
Ciasto cytrynowe
Wina: *Sauvignon blanc*
Muscat de Rivesaltes
Châteauneuf du Pape 1985

☆

Goście: Teresa i Paweł Stadniccy *Paryż 9 lipca 1992 r.*
Françoise i Andrzej Watowie
Monika i Michael Gibsonowie

Chantal Petit i Romek Cieślewicz
Piotr Stadnicki
Joanna i Wiesiek Czerwińscy
Dzidzia Herman
Serge Berge

Menu: Zimny bufet
Chłodnik z awokado
Polędwica marynowana w świeżych ziołach
Tatar ze świeżego łososia z kaparkami
Sałata ziemniaczana z wędzonymi moulami
Jabłecznik
Wina: *Szampan Paul d'Hurville*
Medoc Ribeau-Cantenac 1989

☆

Brunch dla przyjaciół w Londynie.

Goście: Betsy Blair *9 maja 1993 r.*
Karel Reisz
Ewa i Janusz Łubkowscy
Julian Reisz
Suzy i Daniel Topolscy z dwiema ślicznymi córeczkami
Penelopy Wilton
Ian Holm
Joyce Nettles
Caroline i Jonathan Reeki
Albert Finney i Penelopy
Ian Mc Diarmid
Jonathan Kent

Menu: Wątróbka po żydowsku
Sałatka z fasoli jasiek z małżami i zieloną pietruszką
Tatar ze świeżego łososia z kaparkami
Polędwica marynowana w czosnku jako wędlina
Jajka faszerowane
Taboulée
Polski łosoś wędzony
Mazurek czekoladowy z migdałami
Szampan, wina białe i czerwone

Kiedyś w Paryżu nasza przyjaciółka Dzidka Herman poprosiła, bym ugotował u niej dla naszych wspólnych znajomych jakieś moje danie. Postanowiłem zrobić golonkę, w piwie z kiszoną kapustą duszoną z boczkiem i purée z zielonego groszku.

Państwo Hermanowie mieszkali nad znaną, wytworną restauracją „La Bourgogne" i byli zaprzyjaźnieni z jej szefem panem Julienem. Dzidka poprosiła go o wypożyczenie dużego rondla, mówiąc, że kolację dziś robi u niej Robespierre. Magia kina zadziałała; Monsieur Julien pojawił się potem na górze cały w bieli, we wspaniałej wysokiej czapie szefa kuchni, co więcej, kiedy zaprosiłem go na degustację, po krótkiej chwili wahania – zaakceptował. No cóż, Robespierre'owi raczej nie należało odmawiać.

Kosztować zaczął bardzo ostrożnie. Po pierwszym kęsie na jego twarzy, pilnie obserwowanej przeze mnie, pojawił się wyraz ulgi, który stopniowo ustępował miejsca temu pięknemu, pełnemu buddyjskiej czułości zadowoleniu, które łączy przy stołach łakomczuchów całego świata. „C'est formidable! – mówił dokładając sobie (dwa razy, proszę Państwa) – ta wyszukana kombinacja smaków – mlaskał fachowo – golonka z lekką goryczką w połączeniu z kwaśną kapustą i delikatną słodyczą purée z zielonego groszku, ależ to odkrycie!"

A ja, po bratersku dolewając mu Trojanki Litewskiej, myślałem: żegnaj panierowany śledziu z beczki – zdałem egzamin na prawdziwego kucharza.

Jan Lebenstein

Najlepsze na zdrowie tłuczone–mielone

Najlepsze na zdrowie tłuczone – mielone
Lebenstein 62

Barbara Pszoniak

BLASK I JEGO CIEŃ

Basiu, wszystko kupiłem. Proszę cię, tylko obierz mi potem dwie cebule, posiekaj i sparz wrzątkiem. Obierz ze trzy ząbki czosnku i wymyj jarzyny. Proszę, pokroj marchewki w kawałki, ale nie za małe, około trzech centymetrów, a seler w takie trochę dłuższe paski. Jak będziesz miała chwilę czasu, to wyciągnij z lodówki kurze skrzydełka i oczyść je z reszty piórek, a potem umyj i przełóż do szklanej miski. Aha! Tylko nie zapomnij po umyciu osączyć je z wody w papierowej ściereczce i sprawdź, czy mamy jeszcze bułkę tartą. Te ziemniaki ugotujemy w łupinach, tylko potem cię poproszę, żebyś z nich ściągnęła skórkę, gdy wystygną, i pokroiła w plasterki, ale nie za cienkie. A koperek posiekać trzeba drobniutko i pamiętaj, że będę go potrzebował dużo.

Ten garnek możesz już wymyć, tylko załóż fartuch, bo sobie pochlapiesz sukienkę.

Basiu, chodź tutaj, skosztuj to. Wiem, że nie masz ochoty, ale proszę cię, skosztuj; przecież wiesz, że ja nie lubię kosztować. Dobre? Mówisz, pyszne, ale ja słyszę w twoim głosie, że coś jest nie tak. Skup się, czego brakuje. Za mało słone? Ale ja to jeszcze odparuję. A mięso miękkie? Dziękuję ci, kochanie. Potem jeszcze tylko cię poproszę, żebyś wymyła to wszystko, co ci tutaj złożyłem, i zastanów się, w czym my to podamy.

Co? Nie rozumiem, dlaczego mówisz, że gdyby w domu były skrzypce, to na pewno chciałbym, żebyś przy mnie w kuchni grała Bacha.

ROMAN CIESLEWICZ

Roman Cieślewicz
Premiera niebawem we Lwowie

Andrzej Wajda

1. Praca ze stałym zespołem aktorów, to wielkie szczęście dla reżysera. Dzięki temu mogłem w Starym Teatrze w Krakowie nie tylko spotkać Wojtka Pszoniaka, ale wiedziałem, jakiej potrzebuje roli, aby powiedzieć nam i widowni, kim jest naprawdę. Autorem był Dostojewski, sztuką sceniczną adaptacja „Biesów", a rolą młody Wierchowieński, sprężyna poruszająca akcję tej diabelskiej maszyny.
2. Próbne zdjęcia do filmu nie wypadły dobrze, myślę, że chcieliśmy i Wojtek, i ja osiągnąć od razu wszystko. Ale to była tylko próba, przymiarka, a przed nami film „Ziemia Obiecana".
3. Ale bies-rewolucjonista z Dostojewskiego i liryczny kapitalista to był dopiero początek naszych spotkań. Teraz potrzebny był w naszej współpracy jakiś mocny akcent. Robespierre wkraczał na scenę, a Wojtek Pszoniak odmieniony w tej roli nie do poznania. Mózg rewolucji, który porusza nieubłaganie ostrzem gilotyny na scenie Teatru Powszechnego, zaskoczył nawet mnie samego.
4. Cóż dziwnego, że bez większego namysłu powierzyłem memu przyjacielowi rolę Jezusa w filmie według Bułhakowa. Piękny to był czas. Wolny od cenzury, ufny we własne zdolności, mogłem tę wolność dać również aktorom. Wojtek skorzystał, tworząc postać liryczną...
5. „Oni" Witkacego w Teatrze Nanterre pod Paryżem. Ta wyprawa po złote runo nie spełniła naszych nadziei, ale rola Bałandaszka rozpoczęła długą listę postaci granych po fran-

cusku w ciągu ostatnich lat przez Wojtka Pszoniaka i w tym sensie była równie zaskakująca i błyskotliwa jak poprzednie nasze spotkania.

6. Pozwoliła ona zresztą spotkać się nam ponownie w Paryżu. Robespierre wkroczył na ekran z większą jeszcze siłą i doskonałością, niż to miało miejsce na deskach sceny. A pojedynek z Gerardem... dla mnie niezapomniany.
7. Przez lata myślałem o filmie „Korczak". Ten projekt przechodził różne koleje losu, ale moja wiara, że tylko Wojtek Pszoniak może stworzyć na ekranie prawdziwą, wzruszającą i mocną postać Starego Doktora, nie opuszczała mnie nigdy. Znów mogliśmy razem zmierzyć się z trudnym zadaniem.

Praca reżysera opiera się w ogromnej części na chłodnej kalkulacji, ale jest w niej i miejsce na natchnienie; to chwila, kiedy podejmuje decyzję co do wyboru aktorów.

Warszawa 18.10.1993 Andrzej Wajda

Wojtek Pszoniak jako Dr. Korczak – rys. Andrzej Wajda

Joanna Ronikier

Sylwestra roku 1980/1981 spędziłam u Basi i Wojtka Pszoniaków w Lanckoronie. Noc sylwestrowa budzi we mnie zawsze melancholijne uczucia; nie lubię, kiedy coś kończy się nieodwołalnie, nie wiem, czy sprostam temu, co się zaczyna. Ale radosny, beztroski nastrój tamtego Święta, rodem ze staropolskich, sutych, sytych i bezpiecznych zapustów, przepędził precz wszelkie smutki. Chałupka pękała w szwach od gości, stoły uginały się od jadła. Kazio Wiśniak zrobił prześliczne rysuneczki, wyznaczające każdemu jego miejsce przy stole, a spośród co najmniej trzydziestu zaproszonych osób pamiętam najlepiej roześmianą Danusię Rinn, Andrzeja Kotkowskiego z żoną i ogromnym garem pierogów od mamy, malarza Baszkowskiego, Małgosię Pieczarkowską w czarnym trykocie i Szwajcara, który prosto z Warszawy, z Polnej, przywiózł wielkiego łososia. Nieżyjący już pan Kiepura z Lanckorony specjalnie na tę okazję utuczył, a potem zarżnął i przyrządził świnkę. A była jeszcze pyszna galaretka z nóżek i żur, i karp po żydowsku. Karp miał masę łusek, co oznacza pomyślność w nadchodzącym roku, i każdy z nas dostał trochę tych łusek na szczęście. Byliśmy wszyscy pewni, że Magiczna Noc, tak obfita w najważniejsze dobra świata: ciepło, jadło i ludzką przychylność, wróży nam jak najlepiej. Ja, dodatkowo, wyniosłam z tego sylwestra moją własną, prywatną zdobycz. Nie nową miłość. Nie intratną propozycję zawodową. Ale przepis na twarożek. Kto i dlaczego wśród najsmakowitszych specjałów ofiarował mi ten przepis? Nie mam pojęcia.

Nie sprawdziły się dobre wróżby. W niespełna rok później rozleciały się ludzkie życia, rodziny, domy, a i przyjaciele rozlecieli się po świecie. Pszoniakowie gościli mnie teraz w swoich paryskich siedzibach. Pamiętam najlepiej tę pierwszą, która właściwie była garażem, gdzie za wannę służył zlew, tak głęboki, że Basia nie mogła wyjść z niego o własnych siłach.

A gdziekolwiek byli, tam płonęło zawsze ciepłym blaskiem światełko ich czułości. Do siebie nawzajem. I do innych ludzi.

W końcu posklejaliśmy rozbite skorupy, a świat znowu zaczął być przyjazny. Z tamtego sylwestra pozostały mi kolorowe wspomnienia.

I prosty, skromny, niezawodny przepis na twarożek.

(Do litra zsiadłego wlej szklankę gotującego mleka. Zamieszaj, poczekaj, aż się zetnie, wylej na sito, przykryte lnianą ścierką. Po paru godzinach będzie gotowy.)

Może jest w tej historyjce jakiś morał. A może go nie ma.

Adam Zagajewski

ULICA ARKOŃSKA

Nazwa pochodzi nie od łacińskiego *arcus* (łuk), lecz od przylądka Arkona, zdobiącego, jeśli dobrze pamiętam, wyspę Rugię. Była to cała dzielnica ulic o nazwach dyskretnie ideologicznych: Arkońska, Łużycka, Wrocławska, Lutycka, Rugijska, Warmińska. Chodziło o cierpliwy proces nieco kłamliwego zawłaszczania przez Słowiańszczyznę byłych ziem niemieckich. Ale czy nas – dzieci – mogło to obchodzić? Wojtek Pszoniak mieszkał pod nami, piętro niżej. Miał dwu starszych braci. Ja miałem starszą siostrę. Ulica Arkońska jest bardzo krótka, przypomina znak równości =. Łączy ulicę Wrocławską z Lutycką; dawniej ulica Lutycka była na pół dzika, zarośnięta – przynajmniej z jednej strony – chwastami. Mówiło się: chodzić na Kamienie. Kamienie to były wertepy, chaszcze, Dziki Zachód. „On jest na Kamieniach" znaczyło więc, że on (kimkolwiek był) bawi się z innymi dziećmi na lewym brzegu ulicy Lutyckiej. Oczywiście, ulicę Arkońską zamieszkiwali uchodźcy ze Lwowa, jakżeby inaczej. Naprzeciw państwa Pszoniaków mieszkał profesor Zawadzki, który został posłem do komunistycznego sejmu. Nam to imponowało, ale jednocześnie intrygowało nas podobieństwo – zwłaszcza w dalszych przypadkach – między słowami „poseł" i „osioł". Naszymi sąsiadami na drugim piętrze byli państwo Jodkowie. Pani Jodkowa była ładną kobietą umierającą na stwardnienie rozsiane. Dwie kamienice dalej mieszkali państwo Uklejowie, para malarzy. On zawsze chodził w nieco fantazyjnym berecie, ona także ubierała się jak artystka. Przyjemnie było na nich patrzeć, w szarym świecie Polski Ludowej państwo Uklejowie wyróżniali się pięknymi szalami i płaszczami. Także ich syn Jacek szedł śladami rodziców i dzięki temu stał się kimś w rodzaju Oscara Wilde'a naszej dzielnicy. Do szkoły chodził w miękkim aksamitnym berecie. Mam nadzieję, że jego rówieśnicy wybaczali mu to (był dwa lata młodszy ode mnie). Na ulicy Arkońskiej przeważali profesorowie i inni pracownicy Politechniki Śląskiej, importowani ze Lwowa. Wojtek Pszoniak był trzy lata starszy ode mnie, należał do innego pokolenia. W dodatku pociągnął kiedyś za włosy moją siostrę, która należała do jego pokolenia, i od tej chwili moja Mama uznała go za łobuza. Tak że mnie właściwie nie wolno było bawić się z Wojtkiem, oglądałem go tylko z daleka, naprzód na podwórku, potem w wojskowej orkiestrze, maszerującej uroczyście ulicą Wrocławską, później w krakowskim Teatrze Starym i w filmach, w których grał. Wciąż był dla mnie łobuzem – czyż młody Wierchowieński z „Biesów" nie jest łobuzem, ciągnącym za włosy cały kosmos? – a jeśli nie dla mnie, to na pewno dla mojej Mamy, która wybaczyła mu chyba dopiero na pokładzie samolotu Paryż–Warszawa w roku 1987, czyli mniej więcej trzydzieści pięć lat po wydarzeniach związanych z ulicą Arkońską. Robespierre też zresztą był łobuzem, i to jeszcze jakim, nie wystarczały mu włosy, żądał całej głowy. Dopiero dobry doktor Korczak radykalnie zmienił sytuację.

Zapomniałem powiedzieć, że ulica Arkońska znajduje się w Gliwicach, gdzie wciąż wypełnia swą egzystencjalną funkcję łączenia ulicy Wrocławskiej z ulicą Lutycką. Nazwy na razie nie zmieniły się, okazało się, że nie skompromitowały się politycznie. W połowie lat osiemdziesiątych Wojtek stał się moim sąsiadem – dzieli nas co prawda kilka kilometrów – w Paryżu i teraz już wolno nam się bawić. I bawimy się!

Wojtek Pszoniak

cisza wypełnia słowo aktora
dotlenia
cisza zapładnia
mówić w ciszy o ciszy
słowa zakochują się w ciszy

☆ ☆ ☆

Odeon, Balkon Geneta 10.05.91.

dzisiaj po próbie postanowiłem napisać list do
głupiego aktora
również
odę na cześć
głupiego aktora

☆ ☆ ☆

napisać wiersz to
przyznać się
stworzyć postać – to to samo

☆ ☆ ☆

sztuka aktorska – ciągła podróż
poszukiwanie
zdobywanie
podróż w siebie w innych
poszukiwanie
zdobywanie prawdy
nie mógłbym chyba zagrać Hitlera
nie umiałbym szukać w nim człowieka

☆ ☆ ☆

Vivaldi
uciekam z hotelu
chcę być sam
za dużo ludzi wokół mnie
ekipa kolacja w hotelowej restauracji na Lido
wszyscy razem znowu trzeba rozmawiać
wypada
siedzieć samemu nie wypada wchodzi x
x – mogę się przysiąść
ja – oczywiście proszę
nienawidzę x-sa za to że się przysiadł
nienawidzę siebie
nie wiem co jem
uciekam z hotelu po dniu zdjęciowym
chcę być sam
zastanowić się nad sobą
zastęsknić za ludźmi

Wenecja 17.09.88

☆ ☆ ☆

w każdym mieście jest gdzieś
najlepsza restauracja
najcieplejszy dzień
najsmutniejszy poranek
w każdym mieście jest gdzieś
najkrótsza ulica
największa świnia
w każdym wesołku jest gdzieś
smutek
w aktorze
prawdziwa twarz
żeby to wiedzieć
czeka cię ciężka praca
rozczarowania

Wenecja 09.09.88

☆ ☆ ☆

w tej rozmaitości
cudowność
każda rola inny świat inni ludzi epoka
przenoszenie się ze świata do świata
cudowność
szczególnie dla takich jak ja
leniwych
przypadek los
decyduje
w jaką i kiedy mam się udać podróż
w świat rewolucji
w świat powojennego Paryża
do XVIII–wiecznej Wenecji
bezradny wobec losu
ja
okrutnik
ja
płaczący błazen
ja
nikczemnik
ja uratowany przez Boga
ja
zawsze i za każdym razem ja
w ciągłej podróży
w sobie

Wenecja 23.09.88

☆ ☆ ☆

na brzegu smutku
w słonecznej ciszy Grandvoux
w wynajętym cudzym raju
z Chopinem z tobą z sobą
w przejściu
między tym kim byłem a tym
kim będę
na Godota czekam
nie jestem umówiony
ale dlaczego miałby nie przyjść

Lozanna 06.05.90.

☆ ☆ ☆

ukryjesz
będzie jeszcze bardziej widoczne

☆ ☆ ☆

nadzwyczajność
nade mną
w małym pudełku na stole
nadzwyczajność
podnoszę moją rękę pokazuję palcem
moja wątła myśl nie chce się
oddalić ode mnie na krok
nadzwyczajność
że gdzieś jestem
tam przełykałem wczoraj chłodne wino
jutro popołudnie
pojutrze nie wiem
za cztery tygodnie
nadzwyczajność
dziurkę w niebie robię małym palcem
żeby zaznaczyć
moją nadzwyczajność

☆ ☆ ☆

smutny dom bez ogrodu
niepokój
smutny dzień po dniu
kilka razy pies zaszczekał śmiesznie
ale to chwila
potem cisza zwilgotniała
to już jesień

☆ ☆ ☆

z tej samotnej nocy zostanie
nitka światła
nieskończenie długa delikatna
ale czy to wystarczy
żebym godnie przeżył do następnej

☆ ☆ ☆

piękna pomyślałem
nagle nie wiem jak
uleciało piękno
dalej rozmawiam z szarą kobietą

☆ ☆ ☆

smutek mój bywa różny
bardzo śmieszny
niezdarny jak dziecko
robi z siebie głupka
błaznuje żartuje robi miny
nawet wtedy kiedy jesteśmy sami
gdy opuszcza mnie na krótko
niepokoję się
czuję się nieswojo wpadam w depresję
pojawia się mój dawny znajomy nonsens
ale dzięki nadziei odnajduję smutek bez którego
ciężko i nieporadnie

☆ ☆ ☆

grać w jednym spektaklu
ze złym aktorem aktorką
to to samo
co pisać książkę wspólnie z grafomanem

☆ ☆ ☆

aktorstwo
odkrywanie czegoś z bijącym sercem
zabawa w chowanego w ciemnych piwnicach
gruzach
jak w dzieciństwie

☆ ☆ ☆

w postaciach moich poszukuję
siebie
swego odbicia
takich jak ja
podobnych
bliskich
uciążliwie po kawałku z cząstek
składam siebie
niekiedy znajduję fragment
kogoś ze znajomych

☆ ☆ ☆

słowo – niedoskonałość
to co między słowami – doskonalsze
ważniejsze
pomiędzy słowem a aktorem – najważniejsze

☆ ☆ ☆

najdoskonalszy partner to
cisza
szczery do dna

przed chwilą wybiegł ze mnie
mały chłopiec
spojrzał i nie uwierzył że to jestem ja
potraktował mnie jak swego rówieśnika
siedziałem przy stole
szczęśliwy że on biega po trawie
naiwny
przekonany o swojej niepowtarzalności

☆ ☆ ☆

ścigam
biegnę za sobą niebezpiecznie
popędzam
gonię
przyspieszam
pospieszam
gonię za sobą
uciekam

☆ ☆ ☆

twoje imię posiada
dwie szlachetne perły
jakieś drobiazgi które mnie rozbawiają
głęboką złotą rzekę
w której przeglądają się nasi przyjaciele i znajomi
i taką tajemnicę którą tylko ja
rozumiem

☆ ☆ ☆

łzo
dziękuję że istniejesz
nieoceniona twoja
pomoc

Zabawa

Wpierw poleciała muzyczka.
Potem wszyscy usłyszeli znany, codzienny
sygnał. I komunikat:
„Jutro o godzinie 19.30 odbędzie się
zabawa z różnymi atrakcjami.
Bezpłatnie. Muzyka mechaniczna.
Z obozu dla kobiet w M. przyjadą
partnerki. Proszę się ogolić, wymyć
i przebrać w czyste ubrania. Życzymy
dobrej zabawy." Wyłączył się.
Muzyczka. Włączył się. „Zabawa odbędzie się
w baraku 102. Przygotowaliśmy liczne
atrakcje." Leśne echo poniosło:
atrakcje, atrakcje,
ak... akcje... akcje...

07.02.1960 Gliwice

☆ ☆ ☆

daleko jestem
matko
zbliżając się do Ciebie
oddalam się z niesłychaną
szybkością
pytałaś czemu uciekam
zbliżam się powiedziałem
nie zrozumiałaś

11.10.1959

Antoni Pszoniak
Fantazja

CEBULAKI MOJEJ MAMY

Składniki:

25 dkg mąki
10 dkg skwarek
1 żółtko
1 łyżka stołowa kwaśnej śmietany
1/2 małego proszku do pieczenia
2 średnie cebule
sól, przyprawy do smaku

Do mąki dodać przepuszczone przez maszynkę skwarki, śmietanę, żółtko, proszek do pieczenia, sól i pieprz. Zagnieść ciasto, dodać drobno posiekaną lub utartą cebulę. Wymieszać. Rozwałkować placek, wykroić niewielkie krążki. Upiec w średnio nagrzanym piekarniku, aż się zrumienią.

MÓŻDŻKI JAGNIĘCE

Składniki na 4 osoby:

4 móżdżki jagnięce
1 kostka bulionowa
3 łyżki stołowe octu jabłkowego
4 łyżki stołowe śmietany
1 ząbek czosnku
pieprz

1. W pół litra wrzątku rozpuścić kostkę bulionową. Oczyszczone z błon móżdżki włożyć do otrzymanego bulionu i gotować na średnim ogniu.
2. Po dziesięciu minutach wlać 3 łyżki stołowe octu jabłkowego. Gotować jeszcze przez 5 minut, po czym wyłożyć móżdżki na talerz zostawiając rosół.
3. Gdy rosół nieco ostygnie, dodać do niego 4 łyżki śmietany i zmiażdżony ząbek czosnku. Dodać mielonego pieprzu i odparowywać mieszając na wolnym ogniu.
4. Gdy sos dostatecznie zgęstnieje, włożyć do niego pokrojone w duże kostki móżdżki i przez chwilę dusić. Podawać z ryżem.

MLECZKO CIELĘCE (*Ris de Veau*) Z GROSZKIEM

Składniki na 2–3 osoby:

1 mleczko cielęce
1 duża cebula
1 kostka bulionowa
3 łyżki stołowe octu jabłkowego
mąka
1 łyżka stołowa masła
oliwa
sól, pieprz
1/2 szklanki zielonego groszku (może być konserwowy)

1. Mleczko cielęce wymoczyć w mleku (około 3 godzin).
2. Oczyścić je z błonki. Kostkę rosołową rozpuścić w 1,5 szklanki wrzątku. W otrzymanym bulionie ugotować do miękkości oczyszczone mleczko cielęce. Wyjąć je i ostudzić. Bulion zachować.
3. Tymczasem cebulę pokroić drobno, sparzyć na sicie i zezłocić na oliwie.
4. Zielony groszek ugotować (jeśli świeży).
5. Ostudzone mleczko cielęce pokroić w dużą kostkę. Obtoczyć w mące i rzucić na rozgrzane masło. Przyrumienić na złoty kolor.
6. Następnie włożyć je do rondla, dodać przygotowaną cebulę i groszek. Zalać wszystko bulionem. Posolić i popieprzyć.
7. Po pięciu minutach gotowania dodać 3 łyżki octu z jabłek. Dusić pod przykryciem jeszcze około 5 minut. Podawać z przysmażanymi ziemniakami lub purée ziemniaczanym.

DORSZ Z CZERWONĄ CEBULKĄ I KOPERKIEM

Składniki na 6 osób:

6 filetów ze świeżego dorsza
2 czerwone cebule
koperek
1 łyżka masła
1,5 łyżki octu winnego
oliwa
sól, pieprz

1. Filety nasmarować oliwą.
2. Cebulę pokroić w cienkie paski, sparzyć i poddusić na maśle. Gdy zmięknie, dodać posiekany koperek i jeszcze trochę dusić. Dodać trochę soli, pieprzu i ocet winny. Po chwili odstawić na bok.
3. Na ostrym ogniu rozgrzać patelnię z odrobiną oliwy. Posolone i popieprzone filety przysmażać z obu stron zaledwie kilka (4–5) minut.
4. Na usmażone filety nałożyć uprzednio przygotowaną cebulę, oblać sosem spod ryby. Podawać z ziemniakami z wody.

WOŁOWINA W KMINKU

Składniki:

1,5 kg wołowiny na pieczeń
2 duże cebule
3 łyżki oliwy
sól, pieprz
kminek (kopiasta łyżka stołowa)
3 trójkątne topione serki kremowe

1. Przygotowaną wołowinę osolić i opiec na mocno rozgrzanej oliwie. Dobrze zrumienioną, zalać dwiema szklankami zimnej wody.
2. Dorzucić 2 drobno posiekane, uprzednio sparzone, cebule i posypać kminkiem. Dusić na średnim ogniu przewracając od czasu do czasu i podlewając sos wodą.
3. W tym czasie 3 topione serki roztopić w rondelku dodając pół szklanki wody. Dodać pieprzu, zamieszać i odstawić.
4. Gdy mięso się upiecze, roztopione serki rozprowadzić sosem spod mięsa. Pokrajać je w plastry, polać sosem. Podawać z pyzami, a do tego z gotowaną kiszoną kapustą lub surówką z kiszonej kapusty.

WOŁOWINA W OLIWKACH

Składniki na 6 osób:

1,5 kg wołowiny (przerośniętej) z kością
300 g zielonych oliwek
2 cebule
2 szklanki wytrawnego czerwonego wina
sok z cytryny
2 łyżki cukru
oliwa, masło
sól, pieprz

Mięso wyluzowane z kości natrzeć sokiem z cytryny i oliwą. Włożyć do naczynia i zostawić do następnego dnia. Kości zamarynować również. Nazajutrz opiec mięso ze wszystkich stron na oliwie na ostrym ogniu, po czym włożyć do wysokiego rondla razem z kością. Dorzucić oliwki, wlać nieco oliwy i dusić podlewając wodą.

Cebule pokroić w plastry, sparzyć na sicie i przyrumienić na maśle. Podlać je dwiema szklankami czerwonego wina z dodatkiem 2 łyżek cukru. Poddusić chwilę i dorzucić do mięsa. Mięso dusić do miękkości.

Przed podaniem pokroić w plastery i obłożyć oliwkami. Podawać z kluseczkami śląskimi lub z makaronem. Sos podać osobno w sosjerce.

SOS PIETRUSZKOWY

Składniki:

2 trójkątne topione serki
1 łyżka stołowa masła
0,25 l śmietany
sos spod pieczeni
pół pęczka pietruszki

Na małym ogniu roztopić serki z masłem dolewając sosu spod pieczeni. Dodać śmietanę i drobno posiekaną pietruszkę. Posolić i popieprzyć do smaku. Podawać jako gorący sos do różnego rodzaju mięs.

SKRZYDEŁKA DIABEŁKA

Składniki:

1 kg skrzydełek kurzych
1 duża cebula
2 ząbki czosnku
2 łyżki smalcu
3 łyżki oleju słonecznikowego
4 łyżeczki ostrej papryki

Skrzydełka ułożyć „w trójkąt", tak by się nie rozkładały. Obsmażyć na łyżce smalcu. Osobno zezłocić na reszcie smalcu pokrojoną cebulę. Posolić skrzydełka, posypać papryką, wrzucić zezłoconą cebulę i posiekany drobno czosnek. Dusić pod przykryciem podlewając od czasu do czasu zimną wodą.

DORADA

Składniki:

1 kg dorady
1 duża cebula
1 ząbek czosnku
pół pęczka szczypiorku
1 łyżka stołowa miodu
3 łyżki stołowe *cinq parfums*
1 łyżka stołowa sosu sojowego
2 łyżki oliwy oraz 5 dkg smaku wieprzowego
1 kostka bulionowa

1. Cebulę drobno pokroić, sparzyć na sicie i zezłocić na smalcu. Dodać zmiażdżony czosnek, 3 łyżki *cinq parfums* i łyżkę miodu. Poddusić, odstawić.
2. Doradę sprawić, obtoczyć w mące i obsmażyć na wrzącym smalcu z dodatkiem oliwy.
3. Cebulę z czosnkiem wrzucić do dorady i zalać to szklanką bulionu z jednej kostki. Dusić około 20 minut. Pod koniec dodać sos sojowy.
4. Posypać szczypiorkiem. Podawać z ryżem przyprawionym ziołami.

SOS PIETRUSZKOWY DO RYB I MIĘS

Składniki na 4 osoby:

2 średnie cebule
2 ząbki czosnku
2 łyżki oliwy
pół kostki rosołowej
4 łyżki śmietany
pęczek zielonej pietruszki
sól, pieprz, cytryna

Cebulę pokroić, sparzyć i wrzucić na rozgrzaną oliwę. Zezłocić. Dodać zmiażdżony czosnek i zalać to bulionem z połowy kostki rosołowej rozpuszczonej w pół szklanki wrzątku. Dorzucić zmiksowany pęczek pietruszki. Posolić i popieprzyć do smaku, wcisnąć kilka kropel cytryny. Zmiksować cały sos. Na końcu dodać śmietanę.

POLICZKI CIELĘCE NA DZIKO

Składniki na 10 osób:

2 kg policzków cielęcych
4 duże cebule
3 listki bobkowe
8 ziarenek ziela angielskiego
oliwa
sól, pieprz
2 łyżki octu winnego

1. Opiec policzki cielęce na oliwie na ostrym ogniu.
2. Dorzucić pokrojoną w plastry cebulę, listek bobkowy i ziele angielskie. Popieprzyć, posolić. Dusić do miękkości podlewając wodą i obracając od czasu do czasu.
3. Pod koniec duszenia wlać 2 łyżki octu winnego. Podawać z kaszą gryczaną i buraczkami.

BÓB Z KOPREM

Składniki:

1 kg łuskanego bobu
1 pęczek koperku
pół litra śmietany
2 łyżki masła
sól, pieprz

1. Bób ugotować w lekko solonej wodzie do miękkości. Odcedzić.
2. W rondelku roztopić masło, wrzucić ugotowany bób i posypać posiekanym (łącznie z gałązkami) koprem.
3. Dusić przez 5 minut. Wlać śmietany. Posolić i popieprzyć. Dusić do zgęstnienia sosu.

Wszystkie składniki zamknąć w szczelnym słoiku, po czym energicznie potrząsać aż do uzyskania jednolitej konsystencji.

GALARETKA

...Pozostały po nich trzy nóżki i ogon

Składniki:

3 nóżki wieprzowe
1 ogon wołowy (cały)
włoszczyzna podwójna bez kapusty
12 ząbków czosnku
1 duża cebula
sól, pieprz

1. Oczyszczone i przekrojone w poprzek na pół nóżki włożyć do bardzo dużego garnka. Zalać zimną wodą do pełna.
2. Postawić na małym ogniu (tak aby „mrugało"). W czasie gotowania odszumować kilkakrotnie.
3. Cebulę obmyć, nie obierać, przekroić na pół i przypiec na rozgrzanej blasze. Dodać do nóżek.
4. Po półtorej godziny gotowania wymytą włoszczyznę (5 marchwi, cały seler, 2 pory, 3 duże pietruszki, 2 duże kalarepy) włożyć do nóżek z połową obranego czosnku.
5. Posolić. Gotować dalej i gdy jarzyny będą miękkie, wyciągnąć je wraz z cebulą.
6. Przerwać gotowanie. Odstawić do następnego dnia.
7. Nazajutrz zebrać z wierzchu cały tłuszcz i wyrzucić. Ponownie postawić garnek na małym ogniu, tak by „mrugało". Dorzucić resztę czosnku. Posolić do smaku, uważając, by nie przesolić, gotować do chwili, gdy mięso z łatwością odchodzi od kości.
8. Łyżkę rosołu wlać na mały spodek i wstawić do lodówki na kilkanaście minut. Sprawdzić, czy się ścięło, skosztować, jak smakuje, ewentualnie doprawić.
9. Porozkładać do salaretek obrane z kości mięso. Pozalewać przecedzonym rosołem i zostawić w chłodnym miejscu.

Podawać z następującym sosem:

Składniki sosu:

1 łyżka ostrej musztardy
sól, pieprz
2 łyżki octu winnego
9 łyżek oliwy
2 pokrojone drobno eszalotki

SKRZYDEŁKA KURZE W ŚWIEŻYM ESTRAGONIE

Składniki:

1 kg skrzydełek kurzych
5 dkg masła
3 gałązki świeżego estragonu
szklanka śmietany
półtorej szklanki białego wytrawnego wina
1 kostka bulionowa rozpuszczona w szklance wrzątku

1. Przygotować szklankę bulionu.
2. Oskubać z listków gałązki estragonu.
3. Rozłożone w trójkąt skrzydełka obrumienić na maśle.
4. Dodać szklankę bulionu i pół szklanki wina. Dusić na małym ogniu pod przykryciem około 40 minut. Dorzucić trzy czwarte przygotowanego estragonu i dusić dalej podlewając pozostałym winem. Gdy skrzydełka są miękkie, zdjąć z ognia, wrzucić resztę estragonu, wlać śmietanę. Dobrze wymieszać. Potrzymać jeszcze kilka minut na małym ogniu. Podawać z ryżem.

POLICZKI WOŁOWE W POMARAŃCZACH

Składniki na 5–6 osób:

1 kg policzków wołowych
2 kostki rosołowe
skórka z jednej pomarańczy
2 szklanki białego wytrawnego wina
oliwa, pieprz

1. Na mocno rozgrzanej oliwie opiec policzki.
2. Dwie kostki rosołowe rozpuścić w pół litra wrzącej wody.
3. Skórkę z jednej pomarańczy umyć i obgotować w dziesięciu wodach. Ostudzić, usunąć starannie białą część skórki. Pokroić w bardzo cienkie paseczki (szerokie na 2 mm). Odstawić.
4. Obsmażone policzki zalać rosołem i dusić na wolnym ogniu. Po odparowaniu podlać winem i wrzucić skórkę pomarańczy. Dusić do miękkości. Popieprzyć do smaku. Podawać z ryżem lub kaszą perłową oraz z surówką z kiszonej kapusty lub z kiszonymi ogórkami.

FILETY SOLI Z MASŁEM RAKOWYM LUB KREWETKOWYM

Składniki na 4 osoby:

2 sole
masło rakowe
oliwa
koperek
cytryna

Sprawić i odfiletować dwie sole średniej wielkości. Filety otoczyć w mące i usmażyć na oliwie. Każdy filet skropić cytryną, posypać obficie koperkiem i polać roztopionym masłem rakowym lub krewetkowym. Podawać z ziemniakami z wody lub z ryżem.

Bruno Schultz chez Wojtek enfant

Roland Topor
Bruno Schulz u Wojtusia

ŁOSOŚ W SOSIE OSTRYGOWYM Z MAKARONEM CHIŃSKIM

Składniki na 4 osoby:

4 filety z łososia
250 g chińskiego makaronu jajecznego
5 średnich młodych cebulek
3 łyżki oliwy
1 łyżka masła
2 łyżki sosu sojowego
3 łyżki sosu ostrygowego
świeża kolendra

1. Filety z łososia marynować dwie godziny w sosie ostrygowym.
2. Makaron chiński ugotować w osolonej wodzie, odcedzić, wymieszać z łyżką oliwy i włożyć do ciepłego pieca.
3. Cebulki pokroić, sparzyć i zezłocić na oliwie z dodatkiem masła.
4. Zamarynowanego łososia włożyć do cebuli i dusić kilka minut dodając sos sojowy.
5. Makaron przysmażyć krótko na patelni, ułożyć obok łososia.
6. Posypać posiekaną kolendrą. Podawać z białym wytrawnym winem.

PASTA Z WĄTRÓBEK DROBIOWYCH Z MADERĄ

Składniki:

250 g wątróbek drobiowych
pół szklanki madery, prócz tego 50 g madery
półtorej łyżki smalcu gęsiego
oliwa
sól, pieprz
1 jajko na twardo

1. W przeddzień namoczyć wątróbki w pół szklanki madery; pozostawić na 24 godziny.
2. Na rozgrzanej oliwie podsmażyć wątróbki, odstawić do ostudzenia. Zachować maderę, w której się moczyły.
3. Ostudzone wątróbki przepuścić dwukrotnie przez maszynkę lub zmiksować.
4. Włożyć je na rozgrzaną patelnię, dodać gęsi smalec, maderę, w której się moczyły, i dodatkowe 50 g madery. Posolić, popieprzyć. Dobrze wymieszać.
5. Przełożyć do kamiennego naczynka.
6. Gdy pasta jest już zimna, posypać utartym jajkiem na twardo. Podawać jako przystawkę z gorącymi grzankami i białym półsłodkim winem.

Camargue, 1 września 93

PÂTÉ IMPÉRIAL *à la* WOJTEK

Składniki na 2 osoby:

Galettes de riz
350 g świeżego łososia
kiełki soi
makaron sojowy
1 ząbek czosnku
150 g obranych i ugotowanych krewetek lub szyjek rakowych
zielona pietruszka
2–3 łyżki oleju sezamowego
zielona sałata
sos: pół łyżeczki pasty z ostrych papryczek, sos sojowy, ocet winny

1. Obranego z ości łososia przepuścić przez maszynkę. Pokroić drobno krewetki. Pietruszkę i kiełki soi drobno posiekać. Zmiażdżyć ząbek czosnku.
2. Wszystko wymieszać, doprawić solą i pieprzem.
3. Uformować wałeczki.
4. Zawijać je w zmoczone w wodzie galettes na wzór gołąbków z kapusty.
5. Gotować na parze 10 minut. Ostudzić.
6. Wrzucić na wrzący olej słonecznikowy.
7. Gdy zrumienione, wyjmować i odsączać na bibule.

Je się rękami, gorące, zawijając w liście zielonej sałaty i maczając w sosie.

TATAR Z ŁOSOSIA LUB PSTRĄGA MORSKIEGO

Składniki:

świeży łosoś
kilka eszalotek
zielona pietruszka
drobne kaparki
sól, pieprz
oliwa z oliwek lub oliwa z białych trufli

Łososia, eszalotki i pietruszkę posiekać bardzo drobno. Posolić, popieprzyć, wymieszać dokładnie z resztą składników.

KRÓLIK NA KWAŚNO

Składniki na 6 osób:

6 udek króliczych
4 duże cebule
4 listki bobkowe
kilka ziarenek jałowca
kilka ziarenek ziela angielskiego
pieprz
masło
kwaśna śmietana (1 szklanka)
ocet winny
szklanka bulionu (może być z połowy kostki bulionowej)
nieco oliwy

Udka królicze wymieszać z pokrojoną cebulą, listkiem bobkowym, jałowcem, zielem angielskim i oliwą. Skropić suto octem i zostawić na 3 godziny. Dusić w rondlu dodając masło i podlewając od czasu do czasu bulionem. Gdy udka są miękkie, zalać kwaśną śmietaną i dusić jeszcze przez chwilę. Podawać z makaronem i buraczkami przyprawionymi wędzonym boczkiem i cebulką.

KARP PO ŻYDOWSKU NA CIEPŁO Z MAKARONEM

Składniki na 4 osoby:

2 średniej wielkości karpie
4 cebule
masło
oliwa
świeży makaron

1. Karpie sprawić. Odfiletować; filety pokroić w poprzek na porcje około 4 cm szerokości.
2. Cebulę pokroić w plastry. Sparzyć na sicie i wrzucić do rondla na roztopione masło z dodatkiem jednej łyżki oliwy. Gdy zezłocona, podlać kilkoma łyżkami zimnej wody. Przykryć i dusić na małym ogniu 4–5 minut. Odstawić.
3. Osolone kawałki karpia smażyć na gorącym maśle z oliwą kładąc je najpierw skórą do dołu. Usmażonego karpia włożyć do ciepłego piekarnika.
4. Świeży makaron (wstążki) ugotować w osolonej wodzie z dodatkiem łyżki oliwy.
5. Odcedzony makaron wymieszać z uduszoną cebulą. Wyłożyć na ogrzany półmisek. Na wierzchu ułożyć usmażone kawałki karpia. Podawać z surówką z kiszonej kapusty.

udało mi się dorównać mojej matce

FILETY Z KURCZĘCIA W MIELONYM KMINKU

Składniki na 6 osób:

6 filetów z piersi kurczęcia
4 cebule
kminek mielony
3 łyżki oliwy słonecznikowej
4 łyżki bulionu z kostki rosołowej
sól, pieprz

1. Dwie łyżki oliwy wymieszać ze zmielonym kminkiem.
2. Marynować w nim piersi kurczaka przez kilka godzin.
3. Pokroić cebulę, sparzyć wrzątkiem, odsączyć, obsuszyć. Podsmażać na mocno rozgrzanej oliwie do uzyskania złotego koloru.
4. Obsmażyć piersi kurczaka na bardzo gorącej oliwie dodając do smaku nieco ziarenek kminku.
5. Podlać bulionem. Dorzucić uprzednio usmażoną cebulę. Dusić do miękkości. Podawać z purée z marchewki, zielonego groszku lub z selera.

WĘGORZ W BIAŁYM WINIE

Składniki:

1 kg świeżego węgorza
1 pęczek koperku
1 pęczek pietruszki
1,5 szklanki białego wytrawnego wina
pół szklanki esencjonalnego wywaru z jarzyn
1,5 łyżki oliwy

1. Węgorza sprawić. Pokroić na kawałki o długości 4–5 cm. Włożyć do miski i wymieszać z półtorej łyżki oliwy.
2. Wrzucić pokrojonego węgorza na rozgrzaną patelnię teflonową lub żeliwną i obsmażyć ze wszystkich stron.
3. Pół szklanki wywaru z jarzyn uzupełnić białym winem i zalać dobrze obsmażonego węgorza.
4. Dorzucić drobno posiekany koper i pietruszkę.
5. Dusić pod przykryciem około 30 minut obracając od czasu do czasu.
6. Pod koniec gotowania dolać resztę wina. Podawać z ryżem lub z ziemniakami z wody.

Tak przyrządzony węgorz może być również podany, po uprzednim wystudzeniu, we własnej galarecie jako przystawka, z razowym chlebem i pokrojoną w ćwiartki cytryną.

KARP *à la* JAŚ

Składniki na 4 osoby:

1,5 kg świeżego karpia
mąka, jajko, tarta bułka
sól
olej słonecznikowy

1. Przygotować filety z karpia. Usunąć ości.
2. Pociąć w paski lub wąskie kawałki. Przygotować mąkę, jajko, tartą bułkę.
3. Osolone fileciki obracać w mące wymieszanej z jajkiem i bułce, po czym wrzucać na rozgrzaną do bardzo wysokiej temperatury patelnię z dużą ilością oleju. Smażyć do zezłocenia z obydwu stron. Następnie kłaść na papierze absorbującym tłuszcz lub na lnianej ściereczce. Podawać jako gorącą przystawkę z kiszoną kapustą z grzybami lub z chrzanem.

KURA *SARDA*

Składniki na 6 osób:

1 duża kura
1 pęczek pietruszki
1 duża cebula
3 łyżki oleju słonecznikowego
1 łyżka masła
sól
słodka papryka w proszku
ryż

1. Pokroić cebulę, sparzyć na sicie, obsmażyć na łyżce oleju i łyżce masła. Posypać obficie słodką papryką, wymieszać. Odstawić.
2. Oczyszczoną i sprawioną kurę pokroić na kawałki. Osolić i obsmażyć w rondlu na reszcie mocno rozgrzanego oleju.
3. Dodać obsmażoną cebulę. Podlać jedną szklanką zimnej wody i dusić na małym ogniu pod przykryciem do miękkości.
4. Wyjąć kawałki kury i odłożyć.
5. Jeżeli sos nie jest dostatecznie gęsty, odparować.
6. Wziąć łyżkę tłuszczu z wierzchu, przełożyć na rozgrzaną patelnię i na tym krótko obsmażyć surowy ryż; następnie ugotować go, jak zwykle uważając, by się nie kleił.
7. W dużym płaskim naczyniu, które nadaje się do włożenia do pieca, rozłożyć ugotowany ryż, a na nim kawałki kury. Zalać sosem; włożyć na 10–15 minut do piekarnika o temperaturze 250 stopni, tak by się zapiekło, ale nie wysuszyło.
8. Posypać posiekaną zieloną pietruszką i podawać z mizerią.

Sardynia, 23 czerwca 87

KRZYWE RYJKI

Składniki na 4 osoby:

3 świńskie ryjki
3 nóżki wieprzowe
jarzyny jak do rosołu
4 łyżki oleju słonecznikowego
6 przepołowionych ząbków czosnku
2 cebule
pieprz, sól
1,5 litra piwa

1. Oczyszczone nóżki i ryjki obgotować w jarzynach w lekko osolonej wodzie.
2. Średnio miękkie przełożyć do dużego rondla. Dorzucić pokrojony czosnek i cebulę, dodać kilka łyżek oliwy (jarzyny i płyn z gotowania wylewamy).
3. Zalać ryjki i nóżki połową piwa, piec w piekarniku o temperaturze 200 stopni bez przykrycia, obracając i podlewając pozostałym piwem. Gdy będą miękkie i skarmelizowane, przykryć naczynie i piec jeszcze około 15 minut, zmniejszając temperaturę piekarnika do 120 stopni. Podawać z upieczoną na sypko kaszą gryczaną i piwem lub czerwonym winem.

W ten sam
sposób można
zrobić golonkę

UDZIEC BARANA LUB JAGNIĘCIA W PIWIE

Składniki na 8 osób:

1 udziec jagnięcia lub barana o wadze ok. 2,5 kg
2 duże cebule
5 ząbków czosnku
5–6 listków bobkowych
kilka ziarenek ziela angielskiego i jałowca
sól, pieprz
pół szklanki octu jabłkowego lub innego słabego octu
1 litr jasnego piwa
5 łyżek oleju słonecznikowego

1. Udziec oczyścić, odciąć tłuszcz. Opiec go w dużym naczyniu na bardzo mocno rozgrzanym oleju. Posolić, popieprzyć. Zalać litrem piwa.
2. Wrzucić pokrojoną w plastry, sparzoną cebulę, przekrojone na pół ząbki czosnku. Dodać ziele angielskie, jałowiec i listki bobkowe.
3. Rozgrzać piekarnik do temperatury 220 stopni. Piec pod przykryciem do miękkości na wolnym ogniu. Pół godziny przed końcem pieczenia dolać pół szklanki octu. Jeśli sos jest zbyt rzadki, odparować go w osobnym naczyniu.

Najlepiej upiec mięso w przeddzień. Podawać z kaszą gryczaną na sypko i bobem w kwaśnej śmietanie z dużą ilością kopru.
Uwaga: mięso kroić w plastry w kierunku do kości.

KOTLETY JAGNIĘCE

Składniki na 8–10 osób:

10 kotletów jagnięcych
2 duże cebule
2 szklanki rosołu
4 listki bobkowe
8 ziaren ziela angielskiego
6 ziarenek jałowca
2 ząbki czosnku
3 małe ostre papryczki
oliwa
2 łyżki octu winnego
sól, pieprz
szafran

1. Pokrojoną i sparzoną na sicie cebulę wrzucić do rondla na wrzącą oliwą.
2. Gdy się zezłoci, włożyć mięso i zalać dwiema szklankami rosołu. Dodać liście bobkowe, ziele angielskie, jałowiec, zmiażdżony czosnek i trzy małe ostre papryczki. Posolić, popieprzyć, wlać ocet.
3. Dusić do miękkości pod przykryciem dolewając w razie potrzeby zimnej wody. Podawać z ryżem wymieszanym z szafranem lub z kaszą gryczaną. Sos serwować osobno w sosjerce.

UDKA KURZE W ŚWIEŻYM IMBIRZE

Składniki na 6 osób:

6 całych udek kurzych
2 cebule
6 ząbków czosnku
1 szklanka wywaru z jarzyn
korzeń imbiru
4 łyżki sosu sojowego
4 suche ostre papryczki
1 łyżeczka szafranu
350 g chińskiego makaronu jajecznego
2 łyżki oliwy
sól

1. Udka poprzecinać w stawie na dwie części.
2. Korzeń imbiru obrać ze skórki i drobniutko pokroić.
3. Pokroić drobno cebulę i czosnek.
4. Udka posolić i zrumienić ze wszystkich stron na rozgrzanej oliwie.
5. Do opieczonych udek dorzucić cebulę, czosnek, imbir; mieszać na ostrym ogniu uważając, by się nie przypaliło.
6. Podlać sosem sojowym i jeszcze przez chwilę obsmażać na dużym ogniu.
7. Zalać wywarem z jarzyn, dodać cztery papryczki i dusić do miękkości pod przykryciem na małym ogniu; przewracać od czasu do czasu.
8. Makaron ugotować w bardzo lekko osolonej wodzie z dodatkiem oliwy. Przelać zimną wodą. Odsączyć dobrze na sicie.
9. Przed podaniem wrzucić cały makaron na patelnię z wrzącą oliwą i obsmażać obracając bez przerwy. Dodać szafranu dla koloru.
10. Połączyć makaron z udkami, delikatnie wymieszać i podawać z czerwonym winem.

SANDACZ LUB SZCZUPAK NA ŻÓŁTO

Składniki na 2 osoby:

300 g filetów z sandacza lub szczupaka
8 średnich ugotowanych krewetek
2 średnie eszalotki
1 ząbek czosnku
koperek
pół kostki bulionowej
1 łyżka oleju słonecznikowego
1 łyżka masła
150 g śmietany
1 szklanka białego wina

1. Obrać krewetki.
2. Drobno pokrojone eszalotki wrzucić do średniej wielkości rondla na wrzący olej. Lekko zezłocić. Wrzucić połowę rozkruszonej kostki bulionowej. Dodać łyżkę masła i zalać szklanką białego wina. Dusić na małym ogniu około 15 minut.
3. Zdjąć z ognia, zmiksować i ponownie postawić na małym ogniu.
4. Wlać śmietanę i dodać szafranu. Odparować nieco sos stale mieszając. Na koniec wrzucić drobno pokrojony koperek. Włożyć do ciepłego piekarnika.
5. Filety ryby pokroić w paski o szerokości około 3 cm. Delikatnie obsmażyć każdy z osobna na ostrym ogniu, na patelni teflonowej.
6. Przed samym podaniem wrzucić obrane krewetki do gorącego sosu i podgrzewać przez dłuższą chwilę. Można podawać z ryżem lub chińskim makaronem o smaku krewetkowym.

PASTA Z BAZYLIĄ

Składniki:

1 pomidor
250 g sera solankowego
20 listków świeżej bazylii
oliwa

Pomidora sparzyć, obrać ze skórki. Pokroić na części, usunąć pestki. Zmiksować ser, pomidora i bazylię dodając po trochu oliwę.
Pastę można podawać jako przystawkę np. z sardynką lub porcjami kury na zimno.

Ostre placuszki serowe.

12 dkg. masła po 6 dkg. zmielonego eidamera i ementalera oraz 6 dkg. roqueforta zagnieść szybko z 12 dkg. mąki i 1 żółtkiem na gładkie ciasto odstawić na godzinę następnie wywałkować na grubość noża, wycinać placuszki smarować białkiem posypać parmezanem i piec w gorącym piecu na złoty kolor.

Słone paluszki ziemniaczane.

14 dkg. mielonych ugotowanych ziemniaków, 10 dkg mąki i 10 dkg. masła 1 żółtko troszkę soli zarabia się na ciasto i formuje wałeczki wielkości palca, smaruje żółtkiem posypuje solą i kminkiem piecze na rumiano.

Pasta do kanapek

10 dkg. szynki 10 dkg. dobrej kiełbasy, 2 twarde jaja 10 dkg. bryndzy lub ostrego sera, oczyszczonego z ości śledzia pociętego zemleć na młynku od mięsa i wymieszać dokładnie z 10 dkg. masła deserowego roztartego na pianę z łyżką oliwy, łyżką musztardy i żółtkami z wymienionych 2 jaj. Dość grubo smarować kanapki tą pastą przybiera się kaparkami groszkiem i t.p.

KOTLETY JAGNIĘCE INACZEJ

Składniki na 6 osób:

6 kotletów z jagnięcia
3 średnie ząbki czosnku
kurkuma
sól

1. Kotlety ponacinać przy kości.
2. Kostki natrzeć czosnkiem; resztę czosnku pokroić i włożyć między kostki.
3. Posolić, posypać kurkumą z dwóch stron i włożyć do gorącego piekarnika (250 stopni). Obracać od czasu do czasu i skrapiać wodą.
4. Po trzydziestu minutach pieczenia zmniejszyć temperaturę do 200 stopni i piec jeszcze 15 minut. Podawać do tego purée z ziemniaków i kalarepkę z marchewką i groszkiem.

MAKARON CHIŃSKI Z KREWETKAMI

Składniki na 2–3 osoby:

250 g chińskiego makaronu jajecznego o smaku krewetkowym
15 dużych świeżych ugotowanych krewetek lub szyjek rakowych
kolendra w proszku
2 duże pomidory
pół kostki rosołowej
250 g gęstej śmietany
1 pęczek koperku
pół łyżeczki mąki kartoflanej
pół łyżeczki cukru
pół cytryny
3 łyżki oliwy

1. Krewetki obrać. Zachować główki krewetek.
2. Pomidory sparzyć. Obrać ze skórki, oczyścić z pestek i zmiksować.
3. Posiekać koperek.
4. W niewielkim naczyniu rozpuścić na małym ogniu śmietanę. Dodać pół rozkruszonej kostki bulionowej. Mieszając cały czas wsypać trzy czwarte posiekanego koperku. Dodać zmiksowane pomidory. Doprawić sokiem z cytryny i cukrem.
5. Pół łyżeczki mąki kartoflanej rozprowadzić w łyżce zimnej wody i dodać do sosu mieszając aż do zgęstnienia. Odstawić.
6. Makaron ugotować w lekko osolonej wodzie z dodatkiem łyżki oliwy. Dokładnie odcedzić i włożyć do ciepłego piekarnika.
7. Na dużej teflonowej patelni lub w rondlu rozgrzać dwie łyżki oliwy. Wrzucić obrane krewetki i główki krewetek (te ostatnie tylko dla smaku). Posypać obficie kolendrą i smażyć na ostrym ogniu nie dłużej niż minutę.
8. Wyjąć główki krewetek. Przygotowany makaron dorzucić do krewetek, posypać resztą koperku i wymieszać. Podawać polewając gorącym sosem.

NERKA CIELĘCA Z ARLES

Składniki na 2 osoby:

1 nerka cielęca
2 eszalotki
1 ząbek czosnku
50 g whisky
2–3 łyżki kwaśnej śmietany
1 łyżka oliwy
sól, pieprz

1. Nerkę oczyścić z tłuszczu. Przeciąć poziomo, oczyścić z kanalików i błon zostawiając nieco tłuszczu wewnątrz.
2. Eszalotkę i czosnek drobno pokroić, wrzucić na rozgrzaną oliwę i smażyć minutę–półtorej; uważać, by się nie przypaliło.
3. Do przysmażonej eszalotki i czosnku włożyć nerkę; obrumienić obracając na średnim ogniu przez trzy minuty.
4. Podlać whisky. Posolić, popieprzyć.
5. Dodać śmietanę. Zamieszać i podawać natychmiast z uprzednio przygotowanym ryżem lub kaszą perłową.

JAGNIĘ NA ZIELONO

Składniki na 2–3 osoby:

500 g mięsa jagnięcego bez kości
2 średnie cebule
3–4 ząbki czosnku
pół kg szpinaku
1 szklanka wywaru z jarzyn
2 łyżki oliwy
sól, pieprz

1. Mięso pokroić w czterocentymetrowe kawałki.
2. Cebulę pokroić cienko, sparzyć na sicie.
3. Drobno posiekać czosnek.
4. Sparzyć całe liście szpinaku. Odsączyć. Gdy mrożony, odparować na patelni.
5. Mięso obsmażyć w rondlu na gorącej oliwie.
6. Dorzucić pokrojoną cebulę i czosnek. Zalać bulionem i włożyć do piekarnika o temperaturze 220 stopni na około 20 minut.
7. Mięso wyjąć z piekarnika i wymieszać ze szpinakiem. Przykryć i jeszcze raz włożyć na pół godziny do piekarnika, tym razem o temperaturze 180 stopni. Podawać z odsmażanymi ziemniakami w plasterkach.

GALARETKA Z KURZYCH SKRZYDEŁEK Z WĄTRÓBKAMI Z DROBIU

Składniki na 6 osób:

10 całych skrzydełek kurzych
1 całe udko kurze
400 g wątróbek z drobiu
włoszczyzna jak na rosół
1 cebula
5 ząbków czosnku
1 kostka bulionowa
sól, pieprz

1. Oczyszczone skrzydełka i udko zalać zimną wodą i zagotować.
2. Cebulę przekroić na pół i przypiec na blasze.
3. Włoszczyznę i cebulę dodać do skrzydełek, posolić i gotować na małym ogniu, tak by „mrugało", do miękkości.
4. W połowie szklanki wody zagotować kostkę bulionową. Włożyć oczyszczone wątróbki. Gotować około 10 minut. Wyjąć wątróbki z rosołu i odstawić do ostudzenia.
5. Wyjąć skrzydełka i udko. Po ostudzeniu, oddzielić mięso od kości.
6. W głębokim naczyniu na dnie układać pokrojoną w kawałeczki wątróbkę; rozłożyć równomiernie mięso ze skrzydełek i udka; zalać przecedzonym rosołem. Ostudzić. Godzinę przed podaniem włożyć do lodówki.

SOS KAPARKOWY
DO GALARETKI ZE SKRZYDEŁEK

Składniki na 6 osób:

4 łyżki soku z cytryny
8 łyżek oleju słonecznikowego
2 łyżki kaparków
1 eszalotka
sól, pieprz

Eszalotkę cieniutko pokroić. Rozgnieść łyżkę kaparków, wymieszać z sokiem z cytryny. Dokładnie mieszać dalej dodając po trochu oleju i eszalotkę. Przed samym podaniem dorzucić łyżkę całych kaparków.

BAKŁAŻANY FASZEROWANE

Składniki na 3 osoby:

3 bakłażany
450 g baraniny
4 eszalotki lub 1 cebula
5 ząbków czosnku
1 jajko
2 łyżki tartej bułki
oliwa
sól, pieprz

1. Ściąć końce bakłażanów, przepołowić je wzdłuż. Miąższ wydrążyć i drobno posiekać.
2. Eszalotkę i czosnek pokroić, wymieszać z miąższem bakłażanów i poddusić na oliwie. Posolić, popieprzyć.
3. Ostudzone, wymieszać dobrze ze zmielonym mięsem z dodatkiem tartej bułki i surowym jajkiem. Posolić i popieprzyć do smaku. Gdy farsz jest zbyt suchy, dodać trochę oliwy.
4. Lekko osolone połówki bakłażanów wypełnić przygotowanym farszem. Włożyć do piekarnika o temperaturze 220 stopni na 30–40 minut.

CIELĘCINA DUSZONA W BIAŁYM WINIE I W SELERACH

Składniki na 6 osób:

700 g „przerośniętej" cielęciny
450 g ogonów cielęcych
2 kostki bulionowe
1 cebula
5 dużych ząbków czosnku
1 średniej wielkości seler naciowy (bez części zielonej)
1,5 szklanki białego wytrawnego wina
4 łyżki oleju słonecznikowego
2–3 łyżki gęstej kwaśnej śmietany

1. Dwie kostki bulionowe rozpuścić w szklance wrzątku.
2. Mięso i ogony obsmażyć na ostrym ogniu na łyżce oliwy.
3. Do żeliwnego garnka wlać trzy łyżki oliwy. Włożyć opieczone mięso i ogony. Wlać szklankę bulionu oraz półtorej szklanki wina.
4. Pokroić gałązki selera (bez listków) na półcentymetrowe kawałki. Posiekać drobno cebulę i czosnek.
5. Seler, cebulę i czosnek dodać do mięsa. Wymieszać.
6. Włożyć wszystko do rozgrzanego piekarnika i dusić pod przykryciem do miękkości. Przed podaniem można do sosu dodać dwie lub trzy łyżki śmietany. Podawać z makaronem przygotowanym w następujący sposób: ugotować makaron w lekko osolonej wodzie dodając 100 g pokrojonego wędzonego boczku. Odcedzić. Przed podaniem odsmażyć na teflonowej patelni.

UDZIEC JAGNIĘCIA W SOSIE KMINKOWYM

Składniki na 6 osób:

1 udziec jagnięcia
2 duże eszalotki
natka pietruszki
3 duże ząbki czosnku
pół garści kminku
1 łyżka miodu
2 szklanki wywaru z jarzyn
oliwa
sól, pieprz

1. Udziec oczyścić z tłuszczu i błonek. Wyluzować kość. Pooddzielać od siebie wszystkie mięśnie i posmarować je małą ilością oliwy.
2. Kość i ścinki mięsa zalać wywarem z jarzyn. Dodać do niego pokrojoną eszalotkę i czosnek. Gotować na małym ogniu pod przykryciem godzinę, jak rosół.
3. Kość wyjąć, a ostudzony smak zmiksować.
4. Wlać do rondelka, wsypać kminek i odparować do zgęstnienia dodając łyżkę miodu. Dosolić do smaku.
5. Na rozgrzaną patelnię teflonową wrzucić mięso i opiekać przez kilka minut na ostrym ogniu (lub krócej, jeśli ktoś lubi krwiste).
6. Pokroić mięso w poprzek włókien na porcje. Podawać z makaronem obficie posypanym zieloną pietruszką i sosem w sosjerce.

TRZEJ KOLEDZY W KMINKU

Składniki na 4–5 osób:

300 g wołowiny
300 g wieprzowiny
300 g baraniny
3 łyżki zmielonego kminku
1 duża cebula
1 bułka
1 kostka bulionowa
olej słonecznikowy
1 jajko
sól, pieprz
0,25 l kwaśnej śmietany
mąka

1. Rozpuścić kostkę bulionową w szklance wrzątku. Po ostudzeniu namoczyć w nim bułkę.
2. Dobrej jakości mięso odżyłować i przepuścić dwukrotnie przez maszynkę razem z cebulą. Połączyć nie odciśniętą bułkę z mięsem.
3. Mieszać rękami bardzo dokładnie przez 15 minut dodając po trochu zmielony kminek.
4. Posolić i popieprzyć do smaku.
5. Przykryć i zostawić w pokojowej temperaturze na dwie godziny.
6. Dodać całe jajko, dokładnie wymieszać.
7. Formować kulki wielkości jajka. Obtoczyć je w mące i smażyć na dużej ilości mocno rozgrzanego oleju.
8. Usmażone, przełożyć do rondla; podlać kilkoma łyżkami oleju spod smażenia.
9. Zalać kwaśną śmietaną i połową szklanki wody. Dusić pod przykryciem pół godziny. Podawać z purée z ziemniaków i zasmażanymi buraczkami.

KARTOFLE „KULĄ W PŁOT"

Składniki na 4 osoby:

2 bardzo duże kartofle dobrego gatunku
100 g sera roquefort lub bryndzy
sól, pieprz
szafran

1. Umyte kartofle ugotować w łupinach w osolonej wodzie. Odcedzić, ostudzić.
2. Przeciąć poziomo wzdłuż. Wydrążyć środki, wymieszać z serem. Utrzeć na masę dodając pieprzu i szafranu. Ewentualnie dosolić.
3. Przygotowaną masą wypełnić połówki kartofli, włożyć do rozgrzanego piekarnika. Podawać do ryb pieczonych na grillu.

GOŁĘBIE FASZEROWANE

Składniki na 4 osoby:

2 gołębie
pół dużej cebuli
pół dużego ząbka czosnku
50 g ryżu
200 g szpinaku
1 jajko
oliwa
1,5 łyżki masła
pół kostki bulionowej
trzy czwarte szklanki białego wytrawnego wina
sól, pieprz

1. Gołębie sprawić, posolić w środku i na zewnątrz, posmarować lekko oliwą.
2. Cebulę pokroić, sparzyć, włożyć na patelnię teflonową, poddusić na jednej łyżce masła. Dodać do niej trzy łyżki białego wina. Odstawić.
3. Sparzony lub rozmrożony szpinak odparować, zmieszać z rozgniecionym czosnkiem i połową kostki bulionowej rozpuszczonej w odrobinie wrzątku. Dodać pół łyżki masła. Poddusić na patelni.
4. Wymieszać z przygotowaną cebulą. Dodać surowy ryż. Wymieszać. Posolić i popieprzyć do smaku.
5. Nadziać gołębie farszem i zaszyć. Nakłuć skórkę w kilku miejscach i włożyć do piekarnika o temperaturze 250 stopni.
6. Piec około 35 minut. Po pierwszych 10 minutach zmniejszyć temperaturę do 200 stopni i podlać resztą wina. Podawać z cykorią *glacée*.

CYKORIA *GLACÉE*

Składniki na 2 osoby:

2 cykorie
1 łyżka masła
niecała łyżka miodu
cynamon
pół szklanki białego wytrawnego wina

1. Cykorię umyć, rozdzielić listki, obgotować krótko we wrzącej wodzie. Odcedzić, ostudzić.
2. Na patelni teflonowej roztopić masło; gdy zaczyna wrzeć, wrzucić listki cykorii. Obrócić kilkakrotnie.
3. Dołożyć miód. Posypać cynamonem i zalać białym wytrawnym winem. Gdy sos staje się gęsty, odstawić. Podawać na ciepło do mięsa i drobiu.

OGÓRKI *GLACÉES*

Składniki na 2 osoby:

Jeden średni ogórek lub pół dużego obrać i rozkroić wzdłuż na 8 części. Wybrać pestki. Dalej postępować jak z cykorią *glacée*.

PERLICZKA W KWAŚNYM SOSIE

Składniki na 4–5 osób:

1 średnia perliczka
1 cebula
100 g wywaru z kury
pół szklanki białego wytrawnego wina
oliwa
1,5 łyżki masła
śmietana
sól, pieprz
20 listków świeżej bazylii
10 małych młodych ziemniaków
musztarda

1. Perliczkę wypatroszyć i podzielić na części. Posolić i nasmarować oliwą.
2. Cebulę pokroić i gotować 10 minut. Odcedzić.
3. Przełożyć cebulę do rondelka. Dodać dwie łyżki oliwy, łyżkę masła, wywar z kury i pół szklanki wina. Dusić na małym ogniu 15 minut uważając, by się nie przypaliło. Pod koniec dodać dwie łyżki śmietany.
4. Gdy lekko zgęstnieje, zmiksować całość.
5. Dodać łyżeczkę musztardy. Dosolić. Wymieszać na wolnym ogniu. Odstawić.
6. Kawałki perliczki obsmażyć na teflonowej patelni.
7. Zmniejszyć ogień, dodać łyżeczkę masła i obrócić jeszcze kilka razy uważając, by się masło nie przypaliło.
8. Przełożyć do rondla. Pół szklanki zimnej wody wymieszać ze smakiem spod smażenia i przelać do rondla z perliczką. Popieprzyć i dusić pod przykryciem na średnim ogniu do miękkości (około pół godziny).
9. Tymczasem ugotować w łupinach 10 małych ziemniaków. Odcedzić. Ostudzić. Przekroić na połówki.
10. Drobno posiekać świeże liście bazylii.

11. Pięć łyżek smaku spod perliczki dodać do uprzednio przygotowanego sosu, wymieszać i dodać bazylię.
12. Rozgrzać piekarnik do temperatury 250 stopni. Pokrojone kartofle włożyć do rondla z perliczką, wymieszać z pozostałym smakiem. Całość włożyć do piekarnika na 15–20 minut; nie przykrywać. Podawać z fasolką szparagową ugotowaną „al dente". Sos podać osobno.

Roland Topor
Jours tranquilles à Euro-Disney

GOŁĄBKI Z ŁOSOSIEM

Składniki na 4 osoby:

1 świeży łosoś
2 średnie eszalotki
100 g białego wytrawnego wina
sos sojowy
włoska „karbowana" kapusta
zielona kolendra

1. Łososia pokroić na dwucentymetrowe porcje; marynować dwie godziny w sosie sojowym.
2. Odrzucić zewnętrzne liście kapusty; pozostałe obgotować krótko (5 minut) w osolonej wodzie. Po ostudzeniu ściąć wystające ku górze grube środki liści, tak by nie utrudniały zawijania.
3. Pokroić drobno eszalotkę, obsmażyć na łyżce oliwy, dodać białe wino. Poddusić przez chwilę i odstawić. Następnie dodać posiekane drobno listki kolendry i wymieszać.
4. Smarować tym liście kapusty, kłaść na nie kawałeczki łososia i zawijać.
5. Gotować na parze 20 minut. Podawać skropione olejem sezamowym, z białym wytrawnym winem (może być *sauvignon* lub białe *bordeaux*) i garstką ryżu.

MÓJ KARP PO ŻYDOWSKU

Składniki:

2 kg karpia
4 duże cebule
sól

1. Oczyszczonego z łusek karpia wymyć pod zimną bieżącą wodą.
2. Głowę odciąć. Zachować. Naciąć rybę od głowy do ogona wzdłuż kręgosłupa i dokładnie oddzielić bardzo ostrym nożem mięso od szkieletu z obu stron.
3. Uzyskane w ten sposób filety pociąć w poprzek na porcje około 3–4 cm.
4. Głowę, kręgosłup i pokrojoną rybę delikatnie natrzeć solą ze wszystkich stron, włożyć do naczynia i 24 godziny przechować w chłodnym miejscu.
5. Nazajutrz – pokroić cebulę w plastry. Wrzucić na wrzątek i obgotować ją przez dwie minuty, po czym odcedzić.
6. Głowę karpia wraz z kręgosłupem zalać zimną wodą w średnim rondlu. Dodać sparzoną cebulę i postawić na średnim ogniu. Po piętnastu minutach od zagotowania wkładać po 3–4 porcje ryby na 12 minut. Gotować na małym ogniu, żeby „mrugało”. Po ugotowaniu całej ryby smak odstawić z ognia.
7. Ugotowane części ryby ułożyć na półmisku.
8. Łyżkę stołową smaku wlać na mały talerzyk i wstawić do lodówki na 15 minut. Gdy galaretka nie zastyga, postawić ponownie smak na ogniu i odparowywać przez 15 minut. Gdy potrzeba, dosolić do smaku.
9. Po wyciągnięciu głowy i kręgosłupa zalać rybę przecedzonym przez sito smakiem z cebulą. Odstawić do ostudzenia.

Podawać z chałą z masłem, bez cytryny, bez chrzanu.

Jan Lebenstein
Nie jadajcie potraw mącznych

„Nie jadajcie potraw mącznych"

CIASTO CYTRYNOWE

Ciasto kruche:

300 g mąki
50 g cukru
200 g masła
2 żółtka
1/2 białka z jednego jajka

Zagnieść szybko i włożyć do lodówki, niech „odpocznie". Ciasto rozprowadzić na blaszce tortownicy wysypanej mąką. Wylepić brzeg na wysokość 2 cm. Ponakłuwać widelcem. Piec w gorącym piecu aż do zrumienienia (termostat 10 przez ok. 12 minut). Wyciągnąć do ostudzenia.

Masa:

2 całe jaja
200 g cukru
wyciśnięty sok z 1 lub półtorej cytryny
100 g roztopionego masła

Ubić jajka z cukrem (ok. 10 minut), dodać schłodzone masło i sok z cytryny. Masę wlać na ostudzone ciasto i wstawić do letniego pieca (termostat 6) na 30 minut. Poruszyć delikatnie formą, gdy pod skorupką jest płynne, piec dalej, aż się zetnie.
Najlepsze na drugi lub trzeci dzień (jak coś zostanie).

Maja Wodecka-Zagajewska, Paryż

KUROPATWY PIECZONE

Składniki dla 2–4 osób:

2 kuropatwy
zalewa octowa (1 litr wody i 1/2 szklanki octu 10% – może być spirytusowy)
15 dkg słoniny
1/2 szklanki czerwonego wina
15–20 ziaren jałowca
5–6 ziaren pieprzu
sól
1 łyżka oleju

Kuropatwy oskubać, sprawić. Zalewę octową zagotować. Do gotującej się włożyć tuszki (ewentualnie po jednej) i trzymać, aż woda znów zacznie wrzeć – mięso powinno się ściąć tylko z wierzchu. Sól wymieszać z jałowcem i pieprzem roztartym w moździerzu. Słoninę pociąć na długie, szerokie i cienkie płaty, posypać ziołami z solą. Do reszty ziół z solą dodać olej i dobrze natrzeć tuszki ze wszystkich stron, a następnie owinąć je płatami słoniny. Kuropatwy ułożyć w brytfannie lub na ruszcie (niczym nie przykrywać) i wstawić do gorącego (200–250°C) piekarnika. Piec do miękkości, a gdy zaczną się przyrumieniać, podlewać winem. Po upieczeniu słonina powinna być smakowicie chrupiąca. Kuropatwy podawać z pieczonymi ziemniakami, z dodatkiem żurawiny, borówek lub surówki z czerwonej kapusty.

Irena Łomnicka, Warszawa

DRÓB LUZOWANY Z NADZIENIEM

1 kurczak o wadze 1,5–1,7 kg

składniki farszu:

3/4 szklanki tartej bułki
2 jajka
15–20 dkg masła lub margaryny
1 pęczek drobno posiekanej natki pietruszki
1 pęczek drobno posiekanego koperku
dość sporo suchego estragonu
sól, cukier, pieprz do smaku
2 łyżki oliwy, sok z 1/2 cytryny, sól – do posmarowania

Wszystkie składniki farszu wymieszać i wyrobić na jednolitą masę.
Kurczaka wyluzować w następujący sposób:
Obciąć skrzydełka ostrym nożykiem. Przeciąć skórę i mięso na grzbiecie. Ostrożnie odkrawać mięso od kości, najpierw z jednej, a potem z drugiej strony, aż wyluzuje się cały szkielet. Mięso udek i ramion kurczaka wraz ze skórą wciągnąć do środka i od strony zewnętrznej zaszyć nićmi otwory po kończynach. Zszyć także przez środek zostawiając tylko jeden średniej wielkości otwór do nadziewania. Przygotowaną masą nadziewać kurczaka wypełniając go z umiarem, gdyż w czasie pieczenia bułka tarta pęcznieje. Zaszyć otwór. Na wierzchu posmarować oliwą wymieszaną z sokiem z cytryny i solą. Zasznurować nadając mu kształ baleronu. Wstawić do nagrzanego piekarnika i piec w niewysokiej temperaturze ok. 1,5 godziny. Wyjąć i pozostawić do całkowitego wystudzenia. Zdjąć sznurowanie. Kroić w plastry i układać na półmisku. Jeśli kurczaka chcemy podać na zimno, można go przyrządzić dzień wcześniej, wtedy łatwiej będzie go kroić. Można go także podawać na ciepło, np. z frytkami.

Podobnie można nadziewać także małą indyczkę, ale do farszu dodaje się wtedy jeszcze rodzynki uprzednio namoczone w gorącej wodzie i pokrojone łuskane migdały.

Hania Kociniak, Warszawa

ROLADA Z DROBIU

Danie wymaga sporo pracy, więc nie jest daniem na co dzień, ale za to jest bardzo smaczne i ładnie wygląda. Najczęściej podaje się je na zimno, ale można także podać na ciepło, np. z frytkami. Jeśli serwujemy na zimno, to lepiej wykonać je dzień wcześniej, bo łatwiej się kroi. W zależności od liczby osób i możliwości domu w ten sam sposób można przygotować małą indyczkę.

Składniki:

1 kurczak o wadze 1,5–1,7 kg
1 filiżanka od herbaty papki szpinakowej
2 jajka
3 łyżki mąki
1 łyżeczka cukru
5 dkg rodzynek
1 duży lub 2 małe ząbki czosnku
sól, pieprz
olej lub oliwa
cytryna

Kurczaka wyluzować z kości tak jak w poprzednim przepisie.
Usmażyć omlet z rodzynkami w następujący sposób:
Ukręcić kogel-mogel z 2 żółtek z 1 czubatą łyżeczką cukru. Dodać 2 płaskie łyżki mąki. Z pozostałych białek ubić pianę i zmieszać z żółtkami rozrobionymi z mąką. Całość wlać na patelnię średniej wielkości, na rozgrzany olej. Stopniowo wrzucać namoczone uprzednio w gorącej wodzie rodzynki, tak żeby rozmieściły się równomiernie w omlecie. Gdy od spodu omlet się zarumieni, obrócić go na drugą stronę. Smażyć ok. 2 minut.
Przygotować szpinak jak na jarzynę – zmielony doprawić wyciśniętym ząbkiem czosnku i zasmażką z 1 łyżki mąki i mleka.
Na lekko posolony od środka placek kurczaka wyłożyć omlet i posmarować go ok. półcentymetrową warstwą szpinaku. Następnie zrolować i skórę zaszyć nitką, po czym roladę zasznurować, nadając jej kształt baleronu. W kubeczku wymieszać 2 łyżki

oliwy, sok z połowy cytryny i sól – tym posmarować roladę po wierzchu. Wstawić do nagrzanego piekarnika i piec w niewysokiej temperaturze ok. 1,5 godziny.
Po upieczeniu zostawić w zimnym miejscu do zupełnego wystygnięcia. Zdjąć sznurowanie. Kroić w plastry i układać na półmisku.

Hania Kociniak, Warszawa

COMBER ZAJĘCZY W ŚMIETANIE

Składniki dla 4–5 osób:

comber z 1 zająca (z udami)
zalewa octowa (ocet winny 6% i mniej więcej tyleż wody)
15–20 dkg słoniny
ok. 20 ziaren jałowca
5–6 ziaren pieprzu
1 łyżka oleju
sól
1/4 litra kwaśnej śmietany
3/4–1 szklanka czerwonego wina

Z dobrze skruszałego zająca zdjąć skórę i wszystkie błony. Odciąć comber z udami (przodki zostawić na pasztet). Comber włożyć do naczynia z zalewą octową, w której powinien być zanurzony najwyżej do połowy. Wstawić na 3 dni do lodówki i codziennie mięso przewracać. Po trzech dniach zająca wyjąć i osuszyć.
Utłuc w moździerzu jałowiec i pieprz; wymieszać z solą. Ok. 10–15 dkg słoniny pokroić na dość długie paseczki, posypać je ziołami z solą, a następnie szpikować nimi comber. Pozostałą słoninę skroić w plastry (4–6) i obłożyć nimi uda zająca. Do reszty jałowca i pieprzu z solą dodać olej i natrzeć nimi comber ze wszystkich stron. Zająca wstawić w odkrytej brytfannie do nagrzanego (200–250°C) piekarnika. Kiedy comber zacznie się rumienić, zmniejszyć nieco temperaturę i podlewać od czasu do czasu winem. Gdy mięso będzie już miękkie, wyjąć je, ale pieca jeszcze nie wyłączać. Słoninę wyrzucić. Comber podzielić na porcje. Ułożyć je w ogniotrwałym półmisku i zalać śmietaną. Wstawić do piekarnika jeszcze na 5–10 minut, tak by śmietana się zagrzała, ale nie zagotowała.
Zająca podawać z ziemniakami lub makaronem i z buraczkami.

Irena Łomnicka, Warszawa

TORT ORZECHOWY

format tortownicy 24 cm

Ciasto:

25 dkg orzechów włoskich
8 jajek
20 dkg cukru

Masa:

30 dkg masła
20 dkg cukru pudru
2 całe jajka
2 łyżeczki kawy typu neska

Wykonanie: Połowę orzechów zemleć; drugą połowę usiekać, lecz niezbyt drobno. Żółtka utrzeć z cukrem na pianę, dodać 2–3 krople waniliowe. Zmieszać ze wszystkimi orzechami i na końcu dodać pianę ubitą z białek. Zamieszać delikatnie! Tę masę wlać do wysmarowanej tłuszczem tortownicy (posypanej mąką lub bułeczką tartą). Wygładzić i włożyć do pieca o temperaturze 180–200 stopni, czyli średniego. Piec krótko tzn. 20–25 minut, tak aby powierzchnia pod dotknięciem była miękka, ruchoma. Ciasto ma być prawie mokre w środku. Po wystudzeniu przekroić poziomo na trzy części. Jeśli placki się rozpadają, można formować je kawałkami. Teraz należy posmarować placki masą kawową (oczywiście boki i wierzch tortu również) zrobioną w następujący sposób:
Najpierw ukręcić masło na puch. Cukier puder zagotować w 3/4 szklanki mleka, ostudzić. Wkręcać stopniowo w masło. Wreszcie wkręcić, lecz powoli, białka roztrzepane z żółtkami. W końcu dodać rozpuszczoną w odrobinie gorącej wody i przestudzoną neskę. Masa ma być naprawdę o smaku kawowym, czyli lekko gorzkim.

Tort przybrać połówkami orzechów, a wcześniej posypać wierzch prawdziwą mieloną kawą. Podawać następnego dnia.
Przepis jest wprawdzie od cioci Basi, ale pomysł na półsurowe, miękkie, mokre ciasto orzechowe jest mój; dlatego ośmielam się całość przesłać od siebie.

Czekam na Was, całuję
Małgosia Łagocka

P.S. Przy dużej tortownicy trzeba podwoić ilość składników.

Małgosia Łagocka, Warszawa

Zupa ratatuj jedna marchew jedna..

STEKI „BOGATE”

Umoczyć steki w oliwie i dobrze popieprzyć z obydwu stron. Zezłocić na patelni duży kawałek masła, usmażyć steki. Wlać do garnka śmietanę, dodać musztardy. Gdy mięso jest gotowe, polać je koniakiem, zapalić, następnie polać sosem ze śmietany i musztardy. Podawać.

Basia Embiricos, Paryż

PASINDA

Składniki:

1 kg koziego mięsa
250 g cebuli
100 g ziarna sezamu
30 g kolendry w proszku
100 g imbiru świeżego
150–200 g czosnku
20 g soli
odrobina czerwonego chili w proszku do smaku
pół łyżeczki do herbaty *haldi* (kurkuma) w proszku
450 g jogurtu
łyżeczka do herbaty *garam masala* (kolendra, chili i czarny pieprz zmielone)
odrobinka *laung* i *elachi* (goździki i kardamon zmielone)
świeży owoc kokosu
250 g zmielonych migdałów
250 g zmielonych orzeszków *cajou*

Mięso pokrajać na drobne kawałki, cebulę pokroić w plastry. Imbir i czosnek zemleć, kokos pokroić i również zemleć. (W zasadzie wszystko jest zmielone oprócz mięsa). Wszystkie te zmielone przyprawy, oprócz cebuli, kokos i mięso zmieszać z jogurtem. Zostawić to na co najmniej 3 godziny, a nawet na całą noc. Następnie wlać na patelnię olej i dodać cebulę. Gdy cebula zaczyna lekko brązowieć, dołożyć przygotowaną uprzednio potrawę. Gotować na małym ogniu, pod przykryciem. Zajrzeć po 20 minutach, czy mięso jest miękkie, jeśli nie, dodać trochę wody. Podawać z ryżem.

Baquer Rizvi, Paryż

PIECZONY RYŻ

Składniki:

2 szklanki ryżu *basmati*
3/4 szklanki soczewicy
3 duże cebule
100 g świeżego imbiru
200 g czosnku
szczypta szafranu
szczypta czerwonego chili w proszku
sól

Wymyć razem ryż i soczewicę.
Cebulę pokrajaną w plastry usmażyć na oleju w garnku. Gdy cebula jest złota w kolorze, dodać imbir zmielony z czosnkiem i przyprawami i ryż z soczewicą. Smażyć je mieszając, aż zacznie się rozchodzić zapach, wtedy dodać 4 szklanki wody. Nie mieszać. Gotować, aż woda wyparuje; wtedy przykryć i gotować na małym ogniu.

Baquer Rizvi, Paryż

proste danie; łatwe
i bardzo oryginalne

DAL

Składniki:

2 szklanki czerwonej soczewicy, dobrze wymytej
2 pomidory
100 g świeżego imbiru
200 g czosnku
świeża kolendra
zioła prowansalskie
świeża mięta
indyjskie liście laurowe
trochę chili w proszku
masło pietruszkowo-czosnkowe
sól

Wlać do garnka olej, dodać imbir zmielony z czosnkiem plus pozostałe przyprawy (chili, zioła prowansalskie, masło pietruszkowo-czosnkowe, sól). Lekko podsmażyć i wsypać soczewicę dodając do niej 4 szklanki wody. Wkroić 2 pomidory, dodać wiązkę świeżej kolendry, mięty i parę listków laurowych indyjskich.
Czas gotowania około 20 minut.

Aneta Łastik-Rizvi, Paryż

Kolejny przepis, który zabiera nas w daleki świat

PRZEPIS ANETY NA CURRY Z KURY LUB Z CIELĘCINY

Składniki:

4 uda kurze lub 500 g cielęciny pokrojonej na małe kawałki
250 g śliwek suszonych
2 pomidory
imbir świeży
czosnek
sól
zioła prowansalskie
świeża kolendra
świeża mięta
indyjskie liście laurowe
czerwone chili w proszku
2 cebule pokrojone w plasterki

Wlać do garnka olej i ozłocić na nim cebulę, dodać imbir z czosnkiem i tuż potem przyprawy. Dokroić 2 pomidory, dorzucić mięso, po chwili wrzucić śliwki, kępkę kolendry, mięty i kilka liści laurowych (one są bardzo malutkie i wystarczy 5). Można dodać pół kieliszka koniaku. Gotować aż do momentu, kiedy można podzielić mięso drewnianlą łyżką.

Aneta Łastik-Rizvi, Paryż

pyszne!
proste!
łatwe!

ŁOSOŚ ŚWIEŻY W SOSIE SZCZAWIOWYM

Drogi Wojtusiu,

Nareszcie wysyłam Ci przepis, o którym mówiliśmy. Jeżeli masz jakieś zastrzeżenia, daj mi znać.

800 g filetu z łososia (bez skóry i ości) podzielić na 4 równe porcje. Posolić, popieprzyć, można trochę pocytrynić. Folię aluminiową pociąć na 4 równe części, tak duże, by można było bez trudu zrobić papiloty do kawałków łososia. Wewnętrzną stronę folii posmarować tłuszczem (najlepiej oliwą). Zrobić papiloty tak, by u góry zostało trochę wolnej przestrzeni. Włożyć do piekarnika o temperaturze 220 stopni na 15 minut.
W tym czasie przygotować sos szczawiowy: cebulę średniej wielkości drobno posiekać, wrzucić na roztopione masło; gdy stanie się szklista, podlać białym winem, trochę odparować, dodać szczawiu (mały słoik 250 g), nieco rosołu z kury. Zagotować, a na zakończenie dodać śmietany do smaku. Posolić, popieprzyć. Po wyjęciu ryby z papilotów na każdy kawałek kładę łyżkę sosu. Reszta w sosjerce.

Hania Kolendowska, Martigny

ZUPA Z BROKUŁÓW

Składniki na 4–5 osób:

4 szklanki rosołu z kury z jarzynami (marchew, selery i pietruszka)
2 duże główki brokułów
2 ziemniaki (pokrojone w małe kawałki)
2 ząbki czosnku
2 łyżki stołowe słodkiej śmietany
sól i pieprz do smaku
ostry żółty ser

Ugotować ziemniaki i brokuły w wywarze.
Posolić i popieprzyć.
Utrzeć mikserem do konsystencji kremu.
Dodać śmietanę i w momencie podania posypać gorącą zupę tartym serem.

Ania Bogusz-Horowitz, Nowy Jork

ŁOSOŚ *TERYAKI*

Składniki na 4 osoby:

4 filety łososia świeżego
1/3 szklanki sosu sojowego
3 łyżki stołowe cukru
1 łyżka oleju sezamowego
2 łyżki sherry
1 główka pokrojonego czosnku
pieprz do smaku
2 łyżki soku z cytryny
1 łyżka tartego imbiru
1 łyżeczka mąki ziemniaczanej
można również dodać sezamki

Wymieszać wszystko poza mąką ziemniaczaną i zalać filety z łososia sosem sojowym. Zostawić na pół godziny obracając filety od czasu do czasu.
Włożyć łososia do rozgrzanego pieca pod grill, na dwie minuty z każdej strony.
W tym czasie rozpuścić 1 łyżeczkę mąki ziemniaczanej w 2 łyżkach zimnej wody i dodać do sosu sojowego, w którym leżał łosoś.
Szybko zagotować mocno mieszając i polać filety z łososia.

Ania Bogusz-Horowitz, Nowy Jork

DYNIA W PIECU

Wybrać dynię o wadze 10–15 kg, ale nie większą niż piekarnik (bardzo ważne). Na 1/4 wysokości uciąć dyni kapelusz; łyżką metalową wyjąć pestki i część włóknistą; 8 marchewek i 2 pory pokroić w cienkie plasterki; 40 dkg boczku pokroić w kostkę. Podsmażyć na patelni. Boczek, marchewkę i pory włożyć na dno dyni bez tłuszczu. Wsypać 20 dkg utartego żółtego sera, wlać 2 dcl śmietany, 2–3 dcl rozpuszczonego w wodzie bulionu z kostki, dodać sól, pieprz, szczyptę cukru, tymianku i rozmarynu. Zostawić 3 cm od góry; jeśli dynia jest pełna, dolać mniej bulionu. Nakryć przykrywką z dyni; przekłuć ją 2 wykałaczkami lub zapałkami na płasko, żeby para mogła się ulatniać (jeśli para nie uchodzi, dynia może pęknąć). Włożyć do piekarnika o temperaturze 200°C na 2 godziny. Jeśli dynia mocno prycha, przekręcić pokrywkę. Podać bez przykrywki, na dużym okrągłym półmisku. Wyjmować farsz drapiąc chochelką miąższ – uwaga: niezbyt głęboko, żeby nie przebić dyni.

Ania Bogusz-Horowitz, Nowy Jork

ŁOSOŚ MARYNOWANY

Składniki na 8–10 osób:

1 płat (ok. 1 kg) łososia ze skórą, obranego z ości
1 duży pęczek kopru
sól, pieprz, cukier puder do smaku

Sos:

4 łyżki musztardy gruboziarnistej
pół szklanki majonezu
pół szklanki gęstej śmietany
1 duża łyżka drobno pokrajanego kopru
1 duża łyżka cukru pudru
sól, pieprz do smaku

1. Płat łososia obficie posypać grubo zmielonym czarnym pieprzem, solą i dużą garścią drobno pokrojonego kopru.
2. Zrolować mięsem do środka, ułożyć w kamiennym naczyniu i włożyć do lodówki na trzy doby.
3. Przed podaniem delikatnie rozwinąć, pokroić ukośnie, przybrać świeżym koprem i podawać z sosem.

Andrzej Ślaski, Warszawa

PASZTET Z ŁOSOSIA

Składniki na 8–10 osób:

1000 g zmielonej masy ugotowanego łososia
200 g ugotowanego łososia w całości
3 dcl majonezu
2 łyżki musztardy
1 łyżeczka sosu chili
3 łyżeczki włoskiej przyprawy do sałaty
1 łyżka cukru pudru
1 kieliszek koniaku
3 łyżki drobno posiekanego kopru
3 łyżki posiekanych surowych porów
2 białka
10 płatków lub 10 płaskich łyżeczek żelatyny
sól, pieprz do smaku

zielony sos:

3 łyżki ugotowanego przetartego szpinaku
pół szklanki majonezu
pół szklanki śmietany
1 łyżka cukru pudru
sok z 1 cytryny
sól, biały pieprz do smaku

1. Ugotować ok. 1200 g łososia bez głowy, najlepiej różowego, w wywarze jarzynowym (ok. 15 min.). Wystudzić, wyjąć z wywaru, obrać z ości i skóry, oddzielić jedną czwartą od kręgosłupa, resztę zemleć na miałką masę.
2. Ubić pianę z białek i zmieszać ze śmietaną. Żelatynę namoczyć w niewielkiej ilości letniej wody na pół godziny.
3. Wymieszać wszystkie składniki, dodając na koniec żelatynę.
4. Długą, wąską formę wyłożyć folią aluminiową, umieścić w niej połowę masy, następnie w środku ułożyć filet łososia w całości i przykryć masą z wierzchu. Pozostawić na kilka godzin w lodówce.

Podawać pokrojony w plastry, przybrany świeżym koprem i pomidorami, z zielonym sosem.

Maria Ślaska, Warszawa

MAKARON W SOSIE O POSMAKU LATA

Kochany Wojtku – nie piszę listu, aby nadać tempo sprawie. Oto mój przepis:

Składniki na 4 osoby:

500 g makaronu rurki z wyżłobieniami (*penne righate*)
400 g krewetek (także mrożone, ale nie w konserwie)
3 duże żółte papryki
1/4 l słodkiej śmietany
1 duża cebula
50 g masła
1 opakowanie szafranu
sól, pieprz, nać zielonej pietruszki

Papryki zalać wrzątkiem i po 5 minutach obrać ze skóry i wyjąć środki. Pokrajać na paski. Podsmażyć na maśle cebulę, ale nie zarumieniać. Połączyć z papryką i dusić na wolnym ogniu przez 20 minut. Stale mieszać, aby nie przypalić. Następnie wlać do miksera i rozrobić na miazgę. Dodać szafran, krewetki, sól, pieprz i śmietanę i ponownie postawić na ogniu, aby zagotować i doprowadzić do konsystencji sosu (dość gęstego). Makaron ugotować na „ząb" (albo nawet twardziej, ale nigdy na miękko). Odcedzić i przełożyć do ogrzanej poprzednio wazy. Całość zalać przygotowanym sosem z krewetkami, zamieszać i posypać drobno posiekaną pietruszką.
Zalecam białe wino włoskie: *Corvo di Salaputra* lub *Pinot Griggio del Veneto*. Może być i szampan.
Potrawa smakowita, dobrze strawna, skłania do rozmowy o wakacjach nad Morzem Śródziemnym... i do wylizania talerza (ale już przy zmywaniu naczyń).

Ściskam Basię, dobrych dni i pełni zdrowia dla was obojga.

Całuję
Alan

Locarno, 23.9.1993

Alan Skowyra, Locarno

CIELĘCINA *à la* KULESZA

Składniki na 6 osób:

1 kg chudej zadniej cielęciny bez żył
2 duże ząbki czosnku
skórka z połowy świeżej pomarańczy
1 łyżeczka curry
oliwa
1 włoszczyzna (bez kapusty)
1 łyżka rodzynek
sól
100 g wódki

Mięso pokroić na kawałki wielkości połowy małego palca. Na patelni rozgrzać oliwę + 2 wyciśnięte ząbki czosnku. Posolić, wrzucić mięso. Skórkę z pomarańczy pokroić na bardzo cienkie paseczki i wrzucić na patelnię. Mieszając dusić mięso ok. 20 minut. W trakcie dodać wódkę i posiekane rodzynki (uprzednio namoczone). Z włoszczyzny strugać wiórki. Na drugiej patelni rozgrzać oliwę (posoloną). Wrzucić jarzynowe wiórki, dodać curry. Krótko smażyć mieszając, aż się zeszkli. Wtedy mięso i jarzyny wrzucić do jednego garnka. Mieszać 5 minut na ogniu. Podać z ryżem.

Robert Kulesza, Warszawa

SAŁATKA SELEROWA

Składniki dla 4–6 osób:

2 średniej wielkości selery (50–60 dkg)
połowa średniej cebuli
sok z połowy małej cytryny lub trochę octu winnego
1–1,5 łyżki oleju
sól, pieprz
2–3 garście posiekanych orzechów włoskich

Ładne, białe, gładkie selery dobrze wyszorować; nie obierać ich. Gotować w osolonej wodzie do miękkości (zrobić próbę widelcem). Gdy będą miękkie, wyjąć z garnka, a z wywaru, w którym się gotowały, odlać 1/4 szklanki. Jeszcze ciepłe selery obrać, pokroić w kostkę. Dodać drobno posiekaną cebulę, sok z cytryny lub ocet winny, olej oraz sól i pieprz do smaku. Na końcu dolać wywar. Wszystko dobrze wymieszać. Odstawić sałatkę, żeby dobrze wystygła, a seler wchłonął wywar i przeszedł smakami pozostałych składników. Wymieszać z orzechami. Sałatka dobrze się przechowuje w lodówce przez parę dni. Jest wspaniałym dodatkiem do wędlin i pasztetów, ale nadaje się także jako jarzyna do mięsa.

Mama Basi, Warszawa

PŁATKI OWSIANE Z SAŁATKĄ OWOCOWO-WARZYWNĄ NA OSTRO

Składniki dla 4 osób:

10 łyżek płatków owsianych
1/2 litra wody

Na sałatkę:

1/3 świeżego ogórka (typu wąż)
1 mały pomidor
1/2 banana
1 mała gruszka
1/2 jabłka
kilka winogron
1/8 melona bądź arbuza, lub 1/2 mango, lub 5 moreli, lub brzoskwinia – w zależności od sezonu i preferencji
kilka listków świeżej mięty
1/2 limonki lub cytryny
1 pojemnik jogurtu naturalnego
sól, pieprz

Wszystkie składniki sałatki pokroić w kostkę, ale nie za drobną, i wymieszać. Dodać posiekaną miętę. Posolić, popieprzyć (nie bać się pieprzu) i wycisnąć sok z połowy limonki, ewentualnie z połowy cytryny. Sałatkę odstawić.
Teraz na wrzącą posoloną wodę (pół litra wody + pół łyżeczki soli) wrzucić płatki owsiane i gotować, aż będą zupełnie miękkie. Gorące, rozgotowane płatki wyłożyć do miseczek, na wierzch dać sałatkę i całość polać jogurtem.
Jest to bardzo smaczna i pożywna propozycja śniadaniowa.

Małgorzata Braunek, Warszawa

SMAŻONE BANANY W MIODZIE Z LODAMI I GORĄCĄ CZEKOLADĄ

Składniki na 4 osoby:

6 bananów
6–8 kulek lodów bakaliowych
10 łyżek mleka
10 łyżek gorzkiego kakao
2 łyżki miodu
olej

Banany przekroić wzdłuż i smażyć w bardzo małej ilości oliwy z obu stron, a gdy się zezłocą, polać miodem. Równolegle w małym garnuszku zagotować mleko i do gorącego wsypać kakao. Gotować na bardzo małym ogniu ciągle mieszając, aż czekolada zgęstnieje. Można ewentualnie dodać dwie łyżeczki cukru. Banany wyłożyć na talerzyki, nałożyć lody i polać gorącą czekoladą. Podawać natychmiast.

Małgorzata Braunek, Warszawa

SURÓWKA Z MARCHWI Z MORELAMI

Składniki na 4 osoby:

4 średniej wielkości marchewki
1/4 litra chudej (12%) skwaszonej śmietanki ewentualnie kefiru lub jogurtu
1/3 półlitrowego słoika domowego dżemu morelowego
4–6 mięsistych suszonych moreli

Marchew zetrzeć na wiórki. Śmietankę dobrze wymieszać z dżemem morelowym. Suszone morele pokroić w drobną kostkę i dodać do śmietanki. Sosem tym polać marchew. Można podać jako przystawkę lub jako surówkę do mięsa.

Grażyna Marzec, Warszawa

BEFSZTYKI *à la* RINN

Składniki na 6–8 befsztyków:

1 średnia polędwica wołowa
olej
imbir mielony lub świeży (1 płaska łyżka)
czosnek (minimum 3 ząbki)
pieprz czarny mielony lub pieprz stekowy (1 płaska łyżeczka)
sos ostrygowy (4–5 łyżek)
1/3 szklanki wody
mąka ziemniaczana

Polędwicę oczyścić (odciąć głowę) i pokroić w plastry o grubości 2–3 cm (nie cieniej). Mięsa w żadnym wypadku nie bić tłuczkiem, można je ewentualnie zmiękczyć palcami. Patelnię polać olejem, tak żeby obficie pokrył dno. Wsypać płaską łyżkę imbiru lub zetrzeć tyleż świeżego, płaską łyżeczkę pieprzu, 3 ząbki roztartego czosnku (można dać więcej, jeśli ktoś lubi). Wymieszać składniki drewnianą łyżką i wszystko mocno rozgrzać na ogniu. Każdy kawałek polędwicy obtoczyć w mące kartoflanej i rzucić na rozgrzany tłuszcz. Smażyć po 2 minuty z każdej strony na ostrym ogniu. Następnie na każdy befsztyk nałożyć łyżeczkę sosu ostrygowego, rozsmarować go i befsztyk przewrócić – taką samą ilość sosu ostrygowego rozsmarować po drugiej stronie. Podlać 1/3 szklanki wody i do całości dodać jeszcze 1 łyżkę sosu ostrygowego. Wymieszać i przykryć patelnię; po chwili zdjąć z ognia. Befsztyki wyłożyć na półmisek i polać sosem z patelni.

Danuta Rinn, Warszawa

WĄTRÓBKA CIELĘCA RINNOWA ZE ŚWIEŻYM OGÓRKIEM

Składniki na 6–8 osób:

1 mała wątróbka cielęca (ok. 3/4 kg)
1 długi ogórek (typu wąż)
imbir mielony lub świeży (1 płaska łyżka)
pieprz czarny mielony lub pieprz stekowy
czosnek (1 duży ząbek lub 2 średnie)
sos ostrygowy
1/3 szklanki wody
mąka ziemniaczana

Z wątroby zdjąć błonę i pokroić na średniej grubości plastry (ok. 1 cm). Patelnię polać olejem, tak żeby obficie pokrył dno. Wsypać płaską łyżkę imbiru lub zetrzeć tyleż świeżego, płaską łyżeczkę pieprzu, roztarty czosnek. Wymieszać składniki drewnianą łyżką i wszystko mocno rozgrzać na ogniu. Każdy kawałek wątróbki obtoczyć w mące ziemniaczanej i rzucić na rozgrzany tłuszcz. Smażyć do 2 minut z każdej strony. Następnie na każdy kawałek nałożyć pół lub całą łyżeczkę sosu ostrygowego (w zależności od wielkości płata). Sos rozsmarować, wątróbkę przewrócić i to samo powtórzyć z drugiej strony. Podlać 1/3 szklanki wody i do całości dodać jeszcze 1 łyżkę sosu ostrygowego. Wymieszać sos i przykryć patelnię; po chwili zdjąć z ognia. Wątróbki wyłożyć na półmisek, a na patelnię z sosem ze smażenia wrzucić pokrojony w krążki (trochę grubsze niż na mizerię) ogórek posypany pieprzem. Gdyby sosu było mało, można dodać trochę oleju i sosu ostrygowego. Ogórki smażyć chwilę na ostrym ogniu. Wyłożyć na półmisek obok wątróbki.

Danuta Rinn, Warszawa

Chantal Petit
Dla Wojtka

ZUPA RYBNA *ad hoc* NA OSTRO
(Z ZACIERKAMI)

Składniki na 4 osoby:

4 kostki mrożonej ryby, najlepiej mintaja lub morszczuka
1 porcja włoszczyzny (2 średnie marchewki, 2 pietruszki, mały kawałek selera i mały por)
1 średnia cebula
1 łyżka kwaśnej śmietany (ale nie więcej)
sól, biały pieprz, przyprawa Vegeta
chili lub tabasco

Przepis na ciasto zacierkowe: 3/4 szklanki mąki + woda.

Do mąki dodawać po trochu wody i wyrabiać gęste ciasto o konsystencji plasteliny. Uformować kulę.

Nie rozmrożone kostki rybne, pokrojoną włoszczyznę i cebulę zalać wodą (ok. 1,5 litra), dodać pieprz, sól i Vegetę do smaku. Gotować na średnim ogniu 15–20 minut, tak aby ryba się nie rozpadła, ale nie była surowa. Rybę wyjąć, a jarzyny w wywarze zmiksować. Doprowadzić do wrzenia. Do gotującego się wywaru wrzucać formowane w palcach małe kuleczki ciasta. Gotować jeszcze chwilę. Zdjąć z ognia. Włożyć pokruszoną rybę i doprawić na ostro chili lub tabasco. Na koniec zabielić śmietaną.

Halina Golanko, Andrzej Kotkowski, Warszawa

KULKI CZEKOLADOWE

Składniki na 70–80 kulek:
- 1/2 kostki masła
- 1 szklanka cukru
- 100 ml wody
- 50 g gorzkiego kakao (4–5 czubatych łyżek)
- ok. 20 dkg mleka w proszku (nie granulowanego) (13–15 pełnych łyżek)
- 20–25 dkg wiórków kokosowych lub 30 dkg orzechów włoskich
- 5–10 dkg bakalii (rodzynki i skórka pomarańczowa)
- 50 ml rumu lub innego aromatycznego alkoholu
- aromat do ciast

Masło, cukier, kakao i wodę rozpuścić na małym ogniu w garnku z grubym dnem. Często mieszając doprowadzić do wrzenia i zaraz zdjąć z ognia. Dobrze wystudzić mieszając od czasu do czasu, aby na wierzchu nie zrobił się kożuch.
Rodzynki, jeśli suche, namoczyć w ciepłej wodzie. Świeżą, miękką skórkę pomarańczową pokroić w drobną kostkę. Orzechy zemleć. Do prawie zimnej masy dodać kilkanaście kropli aromatu, rum, bakalie i 15 dkg wiórków kokosowych lub 20 dkg (2/3 porcji) zmielonych orzechów. Całość dobrze wymieszać. Teraz masę należy zagęścić mlekiem w proszku, dodając je stopniowo po 1 łyżce, aż masa będzie tak gęsta, że mieszanie jej będzie trudne. Wstawić do lodówki na parę godzin. Małą łyżeczką nabierać trochę masy, palcami formować kulki, a następnie obtaczać je w pozostałej porcji wiórków kokosowych lub w zmielonych orzechach. Aby łatwiej dawało się formować kulki, ręce powinny być dość zimne, dlatego należy je od czasu do czasu umyć w zimnej wodzie.
Przed podaniem kulki można na chwilę wstawić do lodówki, szczególnie w lecie. Zimne są jeszcze smaczniejsze.

Bogusia Frosztęga – siostra Basi, Warszawa

PASZTET Z ŁOSOSIA NA ZIELONO

Składniki na 8 osób:

800 g świeżego szpinaku
2 cebule
15 dkg łososia wędzonego bez skóry
15 dkg białego sera
4 duże łyżki śmietany
3 jajka
kostka rosołowa z kury
koper, pietruszka

Sos:

1/2 l śmietany, sok z cytryny, dużo kopru, sól, pieprz

Obrać szpinak, sparzyć i następnie odparować na maśle. Zeszklić pokrojoną cebulkę na maśle z kostką rosołową.
Pokroić łososia. Wymieszać biały ser ze śmietaną i z jajkami. Następnie wszystko razem zmiksować. Dodać pokrojonej pietruszki i koperku. Przyprawić do smaku. Masę włożyć do rynienki uprzednio wysmarowanej masłem. Piec pod przykryciem w *bain–marie* w piecu o temperaturze 200°C przez ok. 40 min. Odkryć i zostawić na 5 min w piecu. Włożyć do lodówki na 4 godz. Podawać zimny pasztet na dużym półmisku wyłożonym sałatą przyprawioną sosem z oliwy i cytryną, przybraną ćwiartkami pomidorów. Oddzielnie podaje się do pasztetu sos ze śmietany.

Danka Żmigrodzka-Mentha, Genewa

Danka,
mój kulinarny
ambasador
w Szwajcarii

KURA W CURRY

Czas przygotowania ok. półtorej godziny (włączyć wentylację).

Składniki na 4 osoby:

4 duże porcje kury (uda) bez skóry, wytarte do sucha
4 łyżki stołowe oleju z kukurydzy
3 duże cebule posiekane drobno
4 duże ząbki czosnku posiekane drobno
imbir świeży – mały kawałek (ok. 2 dkg) obrany, posiekany drobno
1/2 łyżeczki chili w proszku
szczypta czerwonej papryki w proszku
1 łyżeczka kolendry w proszku
1/2 łyżeczki cynamonu w proszku
3 łyżeczki curry w proszku (w zastępstwie świeżych składników z Indii)
10 goździków w całości
15 dkg przecieru pomidorowego rozpuszczonego w 4 szklankach wody
6 łyżek wiórków kokosowych zalanych gorącą wodą, zmiksowanych do konsystencji mleka
1 łyżeczka ziela angielskiego w proszku
sól i pieprz do smaku
do posypania zielona siekana kolendra lub pietruszka.

Obsmażyć kurę w oleju, odcedzić, odłożyć. Do oleju dodać cebulę z czosnkiem – wyzłocić. Dodać pozostałe przyprawy, lekko podsmażyć. Włożyć kurę, przecier pomidorowy, dusić pod przykryciem na małym ogniu do miękkości (ok. 45 min). Dodać sól, pieprz do smaku. Gdy kura będzie miękka, dodać mleczko kokosowe, dusić przez chwilę.

Przed podaniem posypać zielem angielskim i zieloną kolendrą lub pietruszką. Kura powinna pływać w sosie. Podawać w głębokim półmisku.

Z dodatkiem:

Soczewica
Moczyć przez noc + czas przygotowania ok. 40 min.

Składniki:

25 dkg soczewicy (najlepiej brązowej)
1 duża cebula posiekana drobno
parę goździków
1 łyżeczka curry
1/2 łyżeczki cynamonu w proszku
2 łyżki miodu
1/2 łyżeczki ziela angielskiego w proszku
sól i pieprz do smaku
mleczko kokosowe jak wyżej

Opłukać dokładnie soczewicę na sicie. Moczyć w czystej wodzie przez noc. Wyzłocić cebulę, dodać soczewicę bez wody i pozostałe składniki. Dusić na małym ogniu do miękkości. Potrawa powinna mieć konsystencję purée z fakturą, w sosie. Podawać w miseczce jako dodatek do kury.

Uwaga!
1) Jogurt jedzony jako dodatek łagodzi zbyt ostry smak curry.
2) Pozostały sos z kury można połączyć z jarzynami, np. z ugotowanymi ziemniakami pokrojonymi w kostkę, groszkiem zielonym itp.

Ewa Łubkowska, Londyn

SOS PAPRYKOWY NA SŁODKO

(porcja na ok. 3 słoiki o poj. 1/2 litra)

Składniki:

1 kg słodkiej czerwonej papryki (już wypestkowanej)
1 cytryna
60 dkg cukru
5–6 łyżek wody

Paprykę i obraną ze skóry, wypestkowaną cytrynę przepuścić przez maszynkę. Cukier wsypać do garnka i zalać wodą, żeby się rozpuścił, a następnie zagotować. Do gorącego wrzucić masę paprykową. Wysmażać na małym ogniu, często mieszając, aż papryka się zeszkli. Można ją smażyć z przerwami przez 2–3 dni. Gorącą paprykę przełożyć do słoików; zakręcić i postawić do góry dnem. Pozostawić do ostygnięcia. Podawać na zimno do pasztetów, mięs i wędlin.

Grażyna Marzec, Warszawa

PIECZARKI ZAPIEKANE POD BESZAMELEM Z CYTRYNĄ

Składniki na 4–6 osób:

1 kg drobnych pieczarek
1 duża cebula
masło do smażenia
sos beszamelowy (z łyżki masła i płaskiej łyżki mąki)
sok z ok. 1/2 cytryny
szczypta cukru
1–2 garście startego średnio ostrego żółtego sera
natka pietruszki
sól, pieprz

Cebulę drobno posiekać i zeszklić na maśle. Na patelnię wrzucić pieczarki – jeśli małe, to w całości, większe przekroić na 2–4 części. Dusić, aż lekko puszczą sok i trochę zmiękną. W trakcie duszenia dodać soli i pieprzu do smaku. Przygotować sos beszamelowy, dodać do niego sok z cytryny – sok dolewać po trochu smakując sos, aż będzie kwaskowaty. Do gotowego, ciepłego sosu wrzucić 3/4 przygotowanego sera. Pieczarki przełożyć do żaroodpornego naczynia, zalać beszamelem i posypać pozostałym serem. Wstawić do nagrzanego, średnio gorącego piekarnika. Zapiekać ok. pół godziny, aż ser na wierzchu się zrumieni. Przed podaniem posypać drobno poszatkowaną natką z pietruszki. Podawać z zieloną sałatą.

Grażyna Marzec, Warszawa

LOTTE W PRZYBRANIU

Przepis opracowany specjalnie dla Wojciecha Pszoniaka

Składniki na 6 osób:

1 kg 200 g *lotte*
50 g masła
pęczek rzeżuchy
6 serków kozich, bardzo świeżych
200 g solonego boczku
pół szklanki octu kseresowego
szafran, sól, pieprz

Przygotowanie:

1. Podzielcie rybę na równe kawałki, pokrajajcie boczek w kostkę.
2. Jeśli uważacie, że jest zbyt słony, włóżcie go na pięć minut do wrzącej wody; później odsączcie.
3. Ułóżcie rzeżuchę na talerzach.

Przyrządzanie:

1. Podsmażcie boczek na dużej patelni i zgarnijcie na jedną stronę.
2. Na tej samej patelni podsmażcie rybę. Dodajcie soli, pieprzu.
3. Włóżcie do podgrzanego piekarnika na kilka minut kozie serki.
4. Ułóżcie skwarki na podściółce z rzeżuchy, a rybę i podgrzane serki na wolnej części talerzy.
5. Do sosu, który pozostał po rybie, wlejcie pół szklanki octu, odparujcie.
6. Polejcie nim rzeżuchę.
7. Posypcie rybę i serki szafranem.

Dodatkowa rada: dla podkreślenia kontrastu między kwaśnym smakiem octu i rzeżuchy a łagodnym smakiem sera koziego serwujcie to danie z wytrawnym, chłodnym *Jurançon* lub z białym winem prowansalskim.

Jacques Feillard, Paryż

ŁOPATKA JAGNIĘCA DUSZONA Z KOPREM WŁOSKIM

Składniki na 4 osoby:

1 kg 300 g łopatki jagnięcej z kością
2 ząbki czosnku
2 łyżki oleju
75 g masła
2 marchewki pokrajane w patyczki
2 pomidory obrane ze skórki, bez ziarenek
2 cebule pokrajane w talarki
2 gałązki pietruszki
2 korzenie kopru włoskiego
1 szklanka białego półwytrawnego wina
1 szklanka wody
sól, pieprz, ewentualnie trochę cukru

Natrzeć łopatkę czosnkiem. Przysmażyć ją w żeliwnej brytfannie na oleju i z 25 g masła, posolić, popieprzyć. Gdy nabierze złotego koloru, odlać nadmiar tłuszczu i dalej piec, dodawszy połowę wina i wody.
W międzyczasie: przysmażyć na pozostałym maśle marchewkę i cebulę, dodać pokrajane pomidory. Posolić, popieprzyć, ewentualnie pocukrzyć. Przygotować koper: przekroić korzenie kopru na pół, smażyć na wrzącym oleju 20 minut, osączyć.
Gdy warzywa są już gotowe, włożyć je do brytfanny z łopatką, dodać pietruszkę. Pozostawić na wolnym ogniu godzinę dodając po trochu resztę wina i wody. Kwadrans przed końcem duszenia dodać dobrze osączone korzenie kopru.
Można podawać z ryżem.
Smacznego.

Françoise Terriou, Paryż

KREM OGÓRKOWO-KRABOWY Z LODEM

Składniki:

2 ogórki
1 pojemniczek śmietany
3 opakowania jogurtu
3 jajka na twardo
2 puszki krabów lub połowa dużego świeżego kraba
lód w kostkach
ziele kolendry, sól, pieprz
2 grube plastry szynki
2 cytryny

Odsączyć utarte ogórki (zostawić kilka plasterków do przybrania), wymieszać je z jogurtem, śmietaną, krabami, sokiem z cytryn, popieprzyć, posolić. Pokroić szynkę w małe kostki. Jeśli krem jest zbyt gęsty, dodać lodu. Na zakończenie ułożyć na talerzach jajka przekrojone na pół, plasterki ogórka i posypać siekaną kolendrą.

Daniele Lebrun, Paryż

CIASTO Z DYNIĄ (*TIKVENIK*)

Moja matka w Bułgarii rzadko piekła to ciasto, ponieważ jego przygotowanie wymagało najpierw rozwałkowania na niebywale cienkie i delikatne warstwy. Robiła to za pomocą cienkiego i bardzo długiego wałka, po czym na starannie wyszorowanym uprzednio stole układała je jedna na drugiej; zabierało to całe przedpołudnie. W Paryżu odkryłem jednak, że takie warstwy ciasta sprzedaje się w sklepach z artykułami „wschodnimi", więc kupuję je tam. Smak nie jest dokładnie taki sam, lecz być może jest to wina lat, które upłynęły od czasu, gdy zajadałem się bez umiaru ciastem mojej matki.

Składniki:

pół kilograma rozwałkowanych warstw ciasta (do baklavy)
250 g masła
6 łyżek cukru pudru
1 kg 300 g dyni (bardzo dojrzałej, lecz o twardym miąższu)
nieco cynamonu

Roztapia się masło w garnuszku na wolnym ogniu. Smaruje się nim duży ogniotrwały talerz i rozkłada się pierwszą warstwę; skrapia się ją roztopionym masłem za pomocą łyżki, po trochu na całej powierzchni, i nakłada się drugą warstwę. Na trzeciej układa się już farsz: jest to grubo utarta dynia wymieszana z cukrem i cynamonem, mniej więcej jedna ósma całego farszu. Przykrywa się go następną warstwą, skrapia się ją masłem i kładzie kolejną warstwę, na niej rozkłada się znowu farsz. Powtarza się tę czynność po warstwie siódmej i dziewiątej. Tak więc jest dwanaście warstw ciasta i cztery warstwy farszu. Piecze się ciasto w średnio nagrzanym piekarniku około 40 minut (zerkając od czasu do czasu dla pewności).
W opakowaniu są 24 warstwy, powtarzamy więc całą procedurę z drugą połową farszu.
Po upieczeniu można posypać ciasto cukrem, jeśli lubimy bardziej słodkie. Gdy jest jeszcze ciepłe, niepodobna mu się oprzeć.

Tzvetan Todorov, Paryż

PERLICZKA FASZEROWANA Z *TOURTE* Z ZIEMNIAKÓW

Składniki na 4 osoby:

1 perliczka 1200–1300 g
200 g małych prawdziwków (do sosu)
2 średniej wielkości marchewki
1 cebula
2 łyżki stołowe śmietany
100 g masła
sól i pieprz

Farsz:

300 g prawdziwków (małych)
200 g wątróbek z drobiu
200 g pszennego chleba (najlepiej mieszanka)
1 pęczek pietruszki
1 cebula
50 g masła
sól i pieprz

Tourte:

1 kg zwartych ziemniaków
200 g małych prawdziwków
125 g tłustej śmietany
1/2 litra mleka
2 x 50 g masła
sól i pieprz

Perliczkę wypatroszyć, zachować wątróbkę, posmarować masłem z zewnątrz, posolić i popieprzyć wewnątrz i na zewnątrz. Nadziać farszem, zaszyć. Następnie pokrajać marchewki i cebule na drobne kawałki, jak i 200 g prawdziwków oczyszczonych i spłukanych wodą (łącznie z korzonkami).
Perliczkę włożyć do pieca o temperaturze 220°C i po 10 minutach wsypać posiekane marchewki, cebule i prawdziwki. Dolać pół szklanki wody. Piec 45 minut pilnując, żeby w brytfannie było ciągle 3–5 ml wody. Trzeba więc jej dolewać co 15 minut. Po 45

minutach zlać sos zostawiając perliczkę w zgaszonym piekarniku. Sos odparować, przetrzeć przez drobny durszlak. Dodać 2 łyżki śmietany mieszając, zostawić na bardzo małym ogniu. Posolić i popieprzyć do smaku. Pokroić perliczkę na części. Piersi, nogi i farsz położyć na gorący półmisek. Lekko polać sosem. Resztę sosu odlać do sosjerek.
Podać do stołu z gorącą, wyjętą z piekarnika *tourte*. Podawać na podgrzanym talerzu.

Farsz:
Namoczyć uprzednio chleb w mleku (15 minut). Prawdziwki i wątróbki posiekać na drobniusieńkie kawałeczki i wymieszać. Osobno posiekać cebulę, którą wrzucić na patelnię z rozgrzanym masłem, ale smażyć na małym ogniu ciągle mieszając, do momentu, aż stanie się przezroczysta (można dolać trochę wody). Dorzucić do tego prawdziwki i wątróbki przysmażając całość około 3 minut, ciągle mieszając.
Wsypać do głębokiego naczynia, wyjąć chleb z mleka, wycisnąć, posiekać pietruszkę i wszystko starannie wymieszać. Posolić, popieprzyć do smaku. Nadziać tym farszem perliczkę.

Tourte:
Obrać ziemniaki, pokroić w cieniusieńkie plasterki. Zagotować mleko i wrzucić do niego ziemniaki, podgotować przez 3 minuty, odcedzić.
W międzyczasie umyte prawdziwki pokroić wzdłuż i lekko przyrumienić na maśle.
Formę fajansową, niezbyt dużą, wysmarować resztą masła. Ułożyć warstwę ciepłych ziemniaków, posolić, popieprzyć i posmarować śmietaną. Na niej ułożyć osmażone prawdziwki, posolić, popieprzyć i przykryć resztą śmietany, włożyć do piekarnika, temperatura 220°C, na godzinę i 20 minut. Również do tej *tourte* można dodawać różne mięsa wołowe (polędwicę, rumsztyk lub antrykot).

Wiesiek Czerwiński, Paryż

Wiesiek, jeden z najlepszych kucharzy jakich znam! Artysta!

WYŚMIENITE POTRAWY Z JARZYN

Lubicie pory?
Jeśli lubicie, weźcie spory kilogram (części białych), pokrojcie w talarki, wrzućcie do dużej ilości zimnej wody, wypłuczcie dobrze, by nie było ziarenek piasku, wyłóżcie na sitko. Następnie wkładacie do garnka spory kawałek masła, pory, wlewacie trochę wody, przykrywacie i dusicie na wolnym ogniu mniej więcej 45 minut. Na kwadrans przed podaniem możecie też dołożyć do garnka filetów rybnych, gotowanych małży (oczywiście bez muszelek), czy też białego mięsa kurczęcia, i nie zapomnijcie o śmietanie, ani też o pieprzu i soli. Gotowe. Pyszne!

Lubicie dynie?
Jeśli lubicie, kupcie pokaźny kawałek. Kroicie go na mniejsze kawałki, obieracie ze skóry, wkładacie do naczynia ogniotrwałego, dodajecie oliwy z oliwek, soli, pieprzu, ziół, jeśli chcecie (ale niekoniecznie), np. tymianku, oregano etc., wstawiacie do piekarnika na, powiedzmy, 45 minut lub trochę dłużej, i podajecie. Pyszota!

Lubicie marchewki?
Do garnka żeliwnego (lub kamionkowego) wkładacie spory kawałek masła, trzy lub cztery ząbki czosnku (według uznania) posiekane na maleńkie kawałeczki, marchewki (pokrajane w talarki), co najmniej kilogram na cztery osoby, dodajecie pieprzu, soli, przykrywacie garnek i dusicie około pół godziny, później dusicie jeszcze pół godziny bez przykrywki. Gotowe. Wyśmienite!

Sabine Monirys, Paryż

Wspaniały artysta, spadochroniarz z zamiłowania, już w szesnastym roku życia ćwiczył skoki z samolotu. Spadał przez trzy kilometry. Nazwisko: Wojciech Pszoniak. Do matki, kiedy mu wymawiała, że niewiadomo, co robi od rana i że nic dobrego z niego nie wyrośnie: – Niech mama stanie dziś przy oknie o jedenastej i popatrzy w niebo. Jak mama zobaczy takiego małego spadającego ptaka, to będę ja. – I wyszedł. Miał niedaleko na lotnisko.

Zobaczyłem go niedawno na przedstawieniu „Wesela" w teatrze „Odeon". Wychylił się z balkonu pierwszego piętra machając do mnie ręką. Pomyślałem: skoczy?

Piszę „wspaniały artysta". Mogłem napisać „prawdziwy aktor". Z tych najprawdziwszych, rasowych, których najbardziej lubię. Ich twarze-maski imitujące w przesadny sposób ludzkie rysy. Rozpoznaję je w mgnieniu oka przez tę ich nadmierną wyrazistość. Uwielbiam ich za to. Za ich wygląd naukowców, hrabiów, ministrów, Żydów, zakonników – zawsze nieco bardziej naukowy, bardziej ministerialny czy żydowski. Kocham tę ich nieodpowiedzialność na rachunek świata, który naśladują, mizdrząc się przed nim i trochę nim gardząc. I to, że nigdy nie zrobią nic poważnego, co się praktycznie liczy – żadnej dyktatury, wojny, nowej maszyny lub podatków. Tak, to najbardziej w nich kocham.

Kazimierz Brandys

Bonjour
Wojtek

Sabine Monirys
Bonjour Woytek

ALFABETYCZNY SPIS POTRAW

SPIS ILUSTRACJI

INDEKS OSÓB

Andrzej Dudziński
Przywiązanie do tradycji

Druk ukończono w grudniu 1993 r.
w drukarni STIKER w Legionowie.
Skład: SOKO s.c., Warszawa
Design: Tomasz Lec